ESTUDIO DEL "ARAUCO DOMADO" DE PEDRO DE OÑA

ESTUDIO DEL "ARAUCO DOMADO" DE PEDRO DE OÑA

por

SALVADOR DINAMARCA

Doctor en Filosofía, Columbia University

HISPANIC INSTITUTE
IN THE UNITED STATES
NEW YORK
1952

Printed in Chile by
IMPRENTA UNIVERSITARIA, SANTIAGO DE CHILE
VALENZUELA BASTERRICA Y CÍA. — Estado 63

TO MILDRED
WITH ALL MY LOVE

PREFACIO

Cuando se trató de elegir un tema para nuestra disertación en la Facultad de Filosofía de Columbia University, no pudimos menos de pensar en el chileno Pedro de Oña, quien como nosotros pasó la mayor parte de su vida lejos de su tierra natal, pero recordándola siempre con cariño. En un principio tuvimos la intención de hacer un estudio completo de sus obras, mas luego nos vimos precisados a limitarnos sólo al *Arauco domado.*

En la preparación de este trabajo hemos tenido el privilegio de ser guiados y aconsejados por tres de los más distinguidos profesores de Columbia University: Federico de Onís, Tomás Navarro y James F. Shearer. Aprovechamos esta oportunidad para expresarles nuestros sentimientos de profunda gratitud.

Agradecemos asimismo la amable acogida que en todo momento nos dispensaron las siguientes bibliotecas: Harvard University, John Carter Brown, Hispanic Society of America, New York Public Library y especialmente la de Columbia University, en cuyo estudio particular número 714 pudimos estudiar, meditar y escribir con toda comodidad.

Nos es muy grato, además, manifestar nuestro reconocimiento a dos de los profesores que tuvimos en la Universidad de Chile: Amanda Labarca H., por el interés que ha demostrado siempre en nuestras actividades de estudiante en los Estados Unidos, y Rodolfo Oroz, por su excelente edición y estudio de *El Vasauro* de Oña, que en más de una ocasión nos sirvió de guía.

Queremos recordar también a José Toribio Medina, el más ilustre de nuestros predecesores. Si a veces hemos criticado parte de lo que él hizo, ha sido porque así lo exigía nuestra labor. Ante su magna obra, gloria y prez de las letras chilenas, nos inclinamos reverentes y agradecidos.

Añadiremos, por último, que nuestro trabajo sólo pretende ser una modesta contribución al estudio del *Arauco domado* de Pedro de Oña.

S. D.

BROOKLYN COLLEGE
15 de junio de 1951

TABLA DE MATERIAS

1[illegible]

ABREVIATURAS

Bibliotecas

BNM	Biblioteca Nacional de Madrid
BPL	Biblioteca Pública de Boston
HS	Biblioteca de la Sociedad Hispánica de América, Nueva York, N. Y.
JCB	Biblioteca John Carter Brown, Providence, R. I.
NYP	Biblioteca Pública de Nueva York, Nueva York, N. Y.

Ediciones del *Arauco domado*

A	1.ª ed., en folio, Lima, 1596
B	2.ª ed., en folio, Madrid, 1605
G	3.ª ed., hecha por Gutiérrez, Valparaíso, Chile, 1849
R	4.ª ed., hecha por Rosell, Madrid, 1854
M	5.ª ed., hecha por Medina, Santiago de Chile, 1917
F	6.ª ed., facsímil del ejemplar de BNM, Madrid, 1944
T	Traducción del *Arauco domado* al inglés, Albuquerque, N. M., 1948

Obras

AD	Pedro de Oña, *Arauco domado,* ed. Medina. Usamos el ejemplar que hemos corregido según el texto de *F.*
LA	Alonso de Ercilla y Zúñiga, *La Araucana,* ed. Medina, Santiago de Chile, Imp. Elzeviriana, 1910.

INTRODUCCION

Sabido es que la heroica resistencia que los araucanos opusieron a los españoles durante la conquista de Chile indujo a Ercilla a celebrar sus hazañas en *La Araucana* y que siguiendo su ejemplo varios otros ingenios escribieron sobre el mismo tema. Entre dichos ingenios se destaca el poeta chileno Pedro de Oña con su *Arauco domado.*

El *Arauco domado* es el poema más extenso y a la vez el más popular de todos los que compuso Oña. Existen de esta obra seis ediciones y una traducción al inglés. No se ha hecho hasta ahora un estudio particular y detenido de este poema. Tampoco se ha escrito la biografía de Oña.

Ofrecemos aquí un estudio de varios aspectos del *Arauco domado*, con el fin de que sirva de punto de partida para futuras investigaciones acerca del mismo libro.

En el cap. I reunimos y examinamos todas las noticias de la vida de Oña y presentamos su biografía en forma sucinta, indicando al mismo tiempo los errores que sobre él se han escrito. En el cap. II hacemos una descripción detallada de las ediciones del poema y cotejamos los textos para determinar cuál representa mejor la redacción del autor.

El cap. III lo dedicamos a un análisis histórico y literario de los personajes, españoles y araucanos. Después de caracterizar al héroe del poema, discutimos en particular algunos de los personajes que más se distinguen. Tratamos también de Richarte Aquines y de los seres sobrenaturales. En seguida, cap. IV, discutimos los hechos históricos en relación con sus fuentes. Nos limitamos a los hechos de mayor importancia, es a saber, la expedición a

Chile, 1557; la expedición al Ecuador, 1592; y la expedición naval, 1594. Por lo que toca a Chile, cuando no lo indicamos, entiéndase que Oña se basa en *La Araucana*.

En el cap. V estudiamos los hechos literarios tratando en lo posible de relacionarlos con sus fuentes. Llamamos hechos literarios a los episodios de carácter novelesco que Oña intercala en la materia histórica para darle variedad. Los hechos literarios de más interés son: el idilio de Caupolicán y Fresia en el valle de Elicura, las aventuras de Tucapel y Gualeva en el bosque, y escenas de la vida pastoril en la cabaña del pastor Guemapu.

Luego, cap. VI, hacemos un breve análisis de los materiales del poema, concretándonos a los puntos siguientes: la tierra, los caballos, las armas de los españoles y las de los indios, la indumentaria, los alimentos y las bebidas. A continuación, cap. VII, comentamos las costumbres de los araucanos y las creencias populares. Presentamos este último aspecto dividido en dos partes: mitos y supersticiones; demonios y apariciones. Relacionamos asimismo los diversos episodios con sus fuentes.

En el cap. VIII hacemos algunas observaciones sobre el lenguaje del *Arauco domado*, con el propósito de caracterizar el castellano de Oña como testimonio de esta lengua en la fecha que el autor compuso su obra. Analizamos en seguida el verso y las particularidades que se advierten en la estrofa. Finalmente, cap. IX, estudiamos brevemente el estilo de Oña.

I

BIOGRAFIA DE PEDRO DE OÑA

No se conoce la fe de bautismo de Pedro de Oña, pero sabemos que nació en la antigua ciudad de los Infantes de Engol, Chile, el año 1570. Su patria la indica él mismo en la portada del *Arauco domado.* La fecha de su nacimiento se deduce de que el primero de junio de 1590, a la edad de veinte años, entró en el Colegio de San Martín, en Lima. Este dato se halla en el *Catálogo de los colegiales* que hubo en dicho colegio, volumen en folio que existe en el Archivo Histórico de Madrid.[1]

La ciudad natal de Pedro de Oña estaba ubicada en lo que bien pudiéramos llamar el corazón del territorio araucano. Fué la ciudad chilena que sufrió más desastres a manos de los indios durante la Colonia y aún después de la Independencia. Por esto consideramos pertinente hacer un breve resumen de su historia desde su fundación hasta fines del siglo XVI, que es lo que tiene relación con la vida de Oña.

Fundó dicha ciudad el gobernador Pedro de Valdivia[2] en la comarca de Angol.[3] Le puso el nombre de los Confines porque la situó «en los confines de los términos de las ciudades de la Concepción e Imperial».[4]

1 José Toribio Medina, *Biblioteca hispano-chilena* (1523-1817), Santiago de Chile, Casa del autor, I (1897), 74.

2 Medina, *Colección de documentos inéditos para la historia de Chile desde el viaje de Magallanes hasta la batalla de Maipo* (1518-1818), coleccionados y publicados por José Toribio Medina, Santiago de Chile [varias imprentas], 1888-1902, XIII, 353.

3 Alonso de Góngora Marmolejo, *Historia de Chile desde su descubrimiento hasta el año de 1575* [MS, 1575], «Colección de historiadores de Chile», II, Santiago, Imp. del Ferrocarril, 1862, p. 33.

4 Pedro Mariño de Lobera, *Crónica del reino de Chile* [MS, ca. 1594], «Colección de historiadores de Chile», VI, Santiago, Imp. del Ferrocarril, 1865, p. 257.

Pocos meses después de su fundación, con motivo del alzamiento general de los araucanos, la ciudad fué despoblada. Sus vecinos huyeron, unos a Concepción y otros a la Imperial (Medina, *Colección*, XXI, 177).

Varios intentos que se hicieron para repoblarla fracasaron (*Ibid.*, X, 412 y XIII, 37), hasta que el gobernador don García de Mendoza mandó fundar en su sitio «la ciudad de los Infantes y pasó a ella algunos vecinos de las ciudades de Concepción, Cañete y la Imperial» (*Ibid.*, XXVII, 14). Le dió el nombre de los Infantes «por los Infantes de Lara, de quien él mesmo descendía» (Mariño de Lobera, *Crónica*, 257). «Su fundación debió efectuarse en Abril de 1559». [5]

El nombre los Infantes «no subsistió, pues no convino su vecindario en que se le mudase el que el gobernador Valdivia le había puesto». [6] Años más tarde, en 1580 (Mariño de Lobera, *Crónica*, 257) su cabildo mandó que la ciudad se llamase de los Infantes, como don García de Mendoza la había nombrado, «y no de otro nombre» (*Ibid.*, 260). Sin embargo, ambos nombres, los Confines y los Infantes, siguieron en uso, además del de Engol o Angol con que también se la llamaba, por lo menos desde el 24 de enero de 1558 (Medina, *Colección*, XXI, 114 y 534).

Era, pues, una ciudad con tres nombres que se usaban indistintamente, según el gusto del que la nombraba. Pedro de Oña, por ejemplo, cuando era estudiante en Lima, al matricularse, usó Angol en 1590 (Medina, *Biblioteca*, I, 75), los Confines en 1592 [7] y los Infantes en 1593. [8] Andando los años, el nombre Angol prevaleció sobre los otros, que poco a poco se fueron olvidando.

---

5 Crescente Errázuriz, *Don García de Mendoza* (1557-1561), Santiago de Chile, Imp. Universitaria, 1914, p. 350.

6 Pedro de Córdoba y Figueroa, *Historia de Chile* (1492-1717), «Colección de historiadores de Chile», II, Santiago, Imp. del Ferrocarril, 1862, p. 108.

7 Medina, *Historia de la literatura colonial de Chile*, Santiago de Chile, Imp. de la Librería del Mercurio, 1878, I, 140.

8 *Ibid.*, 141.

La palabra Engol o Angol se deriva de «*Encol*, nombre de un cacique que se cree fué el dueño primitivo de estos territorios».[9] Pedro de Oña menciona a este cacique en tres pasajes del *Arauco domado*, como uno de los más valientes en el asalto que los araucanos le dieron a don García en el fuerte de Penco (AD, 183, 219 y 228). También lo celebra Ercilla en *La Araucana*, por ejemplo, en la prueba del madero.[10]

¿En qué estado se hallaba esta ciudad por los años del nacimiento de Pedro de Oña? Medina nos dice que «no tenía de ciudad más que el nombre: era más bien una especie de fuerte avanzado sobre la línea araucana» (*Historia*, I, 134). Menéndez y Pelayo afirma «que apenas pasaba de ser un puesto avanzado sobre la línea araucana».[11]

No era así, sin embargo. El cosmógrafo cronista López de Velasco, con datos que recopiló desde el año de 1571 al de 1574, nos presenta un cuadro muy distinto de la ciudad de los Infantes en su *Geografía y descripción universal de las Indias*.[12] López de Velasco era cronista de Felipe II. Los datos de que se valió para escribir su obra los sacó de informes oficiales que por orden del rey le enviaron los gobernantes de las colonias españolas.[13]

Según López de Velasco, a principios del decenio de 1570, la población de los Infantes se componía de unos

9 Enrique Espinoza, *Geografía descriptiva de la República de Chile*, 4.ª ed., Santiago de Chile, Imp. y Encuadernación Barcelona, 1897, p. 394.

10 Alonso de Ercilla y Zúñiga, *La Araucana*, ed. del Centenario, ilustrada con grabados, documentos, notas históricas y bibliográficas y una biografía del autor. La publica José Toribio Medina. Texto. Santiago de Chile, Imp. Elzeviriana, I (1910), p. 27.

11 Marcelino Menéndez y Pelayo, *Historia de la poesía hispanoamericana*, Madrid, Victoriano Suárez, II (1913), 310.

12 Juan López de Velasco, *Geografía y descripción universal de las Indias*. Recopilada por el cosmógrafo cronista Juan López de Velasco, desde el año de 1571 al de 1574. Publicada por primera vez en el *Boletín de la Sociedad Geográfica de Madrid*, con adiciones e ilustraciones, por don Justo Zaragoza, Madrid, Establecimiento Tipográfico de Fortanet, 1894, p. 528-529.

13 Diego Barros Arana, *Orígenes de Chile*. Prólogo, selección y notas bibliográficas de Guillermo Feliú Cruz, Santiago de Chile, Nascimento, 1934, I, 306.

ciento cincuenta españoles, de los cuales veintisiete o veintiocho eran encomenderos. En su jurisdicción había como cuatro mil indios de paz que la servían y otros seis o siete mil de guerra. Tenía dos monasterios, uno de dominicos y otro de franciscanos.

La tierra de su comarca, toda llana y fértil, producía mucho trigo y mucho vino, lo mejor de Chile, y todas las frutas y mantenimientos de España. Tenía muchos baldíos y grandes pastos de yerba verde todo el año, por lo cual había grande abundancia de ganados. Era, además, muy rica en lavaderos de oro y buenas minas de plata. Había en esta comarca gran rescate de ropa hecha que los indios llevaban a cambiar por carne para comer. «Pasan por la jurisdicción de esta ciudad cuatro ríos caudalosos a tres leguas uno de otro, que dos entran en el río grande de Biobío, por donde pueden ir hasta la mar barcas y canoas y llegar dos leguas de la Concepción».[14]

Por este breve resumen de lo que dice López de Velasco, a quien nadie ha desmentido, se ve que la ciudad de los Infantes no sólo gozaba de envidiables dones naturales, sino que había llegado a un alto grado de prosperidad cuando nació Pedro de Oña. Añadiremos que en 1600 la ciudad de los Infantes fué completamente destruída por los araucanos y abandonada por sus vecinos. Le siguió después una serie sucesiva de repoblaciones y destrucciones que duró más de ciento cincuenta años. De ella hoy sólo quedan sus ruinas, a dos kilómetros de la actual ciudad de Angol, fundada en 1862.[15]

Los padres de Pedro de Oña fueron el capitán Gregorio de Oña (AD, 337) y doña Isabel de Acurcio.[16]

---

14 López de Velasco, *Geografía de las Indias*, 529.

15 Espinoza, *Geografía de Chile*, 393 y 394.

16 Isabel de Acurcio, «Testamento de 1605», publ. por Medina en la «No-

Sus abuelos eran de origen vizcaíno.[17] El capitán Gregorio de Oña era natural de Burgos.[18] No se sabe cuándo nació ni cuándo llegó a Chile. En 1553 se hallaba en la Imperial y en 1559 se avecindó en los Infantes,[19] de la cual fué procurador desde 1561 hasta 1563 y regidor desde 1563 hasta 1564.[20]

Casado con doña Isabel de Acurcio en fecha desconocida, el capitán Gregorio de Oña tuvo tres hijos: Gregorio de Oña, que había fallecido en 1605; doña Baltasara de Oña, monja profesa, que vivía en 1605, y el licenciado Pedro de Oña,[21] autor del *Arauco domado.*

El capitán Gregorio de Oña murió trágicamente por el mes de septiembre de 1570[22] a seis leguas de los Infantes, en el camino a la Imperial. Había salido de los Infantes para la Imperial a la cabeza de un grupo de once hombres. Hicieron alojamiento a seis leguas de camino. Los araucanos que espiaban sus pasos, en número de quinientos cayeron sobre ellos aquella noche y mataron a ocho españoles, incluso al capitán Gregorio de Oña.[23]

Pedro de Oña al describir la revista que don García hace de su gente en Penco, tributa un sentido homenaje a la memoria de su padre:

---

ticia preliminar» de su ed. del *Temblor de Lima año de 1609* por Pedro de Oña, Santiago de Chile, Imp. Elzeviriana, 1909, p. LXXVI.

17 Pedro de Oña, *El Vasauro,* ed. Rodolfo Oroz, Santiago, Prensas de la Universidad de Chile, 1941, p. 185, oct. 44.

18 Góngora Marmolejo, *Historia de Chile,* 191.

19 Tomás Thayer Ojeda, *Los conquistadores de Chile,* Santiago de Chile, Imp. Cervantes, II (1910), 261.

20 Thayer Ojeda, *Las antiguas ciudades de Chile.* Apuntes históricos sobre su desarrollo i listas de los funcionarios que actuaron en ellas hasta el año 1565, Santiago de Chile, Imp. Cervantes, 1911, p. 138.

21 Isabel de Acurcio, «Testamento», p. LXXVI.

22 Góngora Marmolejo, *Historia de Chile,* 190.

23 *Ibid.,* 191.

Y tú, mi padre caro; mas perdona,
Que no he de dar motivo con loarte
A que diciendo alguno que soy parte,
Ofenda mi verdad y tu persona;
Por esto callaré lo que pregona
La voz universal en toda parte,
Y perderás, por ser mi padre amado,
Lo que por ser tu hijo yo he ganado.

Sólo diré que en guerras te criaste,
En guerras, como en crédito, creciste,
En guerras tu principio recebiste,
Y en guerras hecho piezas acabaste;
Donde el servir al Rey sólo ganaste,
Y por mejor serville te perdiste,
Dejando a los que somos de tu casta
No más que el bien de serlo, y éste basta. (AD, 337)

Hemos visto que Pedro de Oña nació en 1570 y que en ese mismo año falleció su padre. Según esto, Pedro no fué el mayor de los tres hijos del capitán Gregorio de Oña, como dedujo Medina en 1878 (*Historia*, I, 135), afirmó en 1897 (*Biblioteca*, I, 74) y reafirmó en 1909 («Noticia preliminar» en su edición del *Temblor de Lima*, p. LXI). ¿En qué se basó Medina? Se basó en los primeros versos del soneto de Gaspar de Villarroel y Coruña que apareció en la primera edición del *Arauco domado:* «Si agradeces a Engol, sagrado Lima, / que al Oña primogénito te enviase, / a que con voz angélica cantase / del Príncipe que el cielo tanto estima» (AD, 22). Como se ve, «primogénito» es aquí una simple figura poética. Engol en este caso es el nombre del río que pasa por la ciudad natal de Pedro de Oña; y Lima, el del que cruza la capital del Perú.

Las pocas noticias que tenemos de la madre de Pedro de Oña, doña Isabel de Acurcio, son las que se hallan en sus testamentos, uno del nueve de diciembre de 1596[24] y el otro del 27 de febrero de 1605. El primero permanece inédito en la Biblioteca Nacional de Chile; el segundo, como ya hemos visto, lo publicó Medina en 1909 al fin de la «Noticia preliminar» de su ed. del *Temblor de Lima*, p. LXXIII-LXXVII. Es el que citamos.

En su testamento de 1605 doña Isabel de Acurcio declara que fué casada por primera vez con el capitán Gregorio de Oña, de cuyo matrimonio le «quedaron dos hijos, y otro que murió, llamado Gregorio de Oña, y los vivos son el Licenciado Pedro de Oña y doña Baltasara de Oña, monja profesa» (p. LXXVI). Viuda del capitán Oña, doña Isabel se casó con don Cristóbal de la Cueva, vecino encomendero de la ciudad de Angol del reino de Chile (p. LXXIII). En este segundo matrimonio tuvo diez hijos, dos hombres y ocho mujeres. Todos vivían en 1605 (p. LXXVI).

Preocupada de la educación y del bienestar de su numerosa familia, doña Isabel de Acurcio había hecho por lo menos dos viajes a lo largo de Chile y del Perú, hasta Lima. Su primer viaje lo hizo por los años de 1590 a 1596, cuando era virrey del Perú el Marqués de Cañete don García de Mendoza. En su testamento se lee: «Item, digo y declaro que en la ciudad de los Reyes me dió la Marquesa de Cañete, virreina del Perú, un mil pesos de plata ensayada para meter monja a una hija mía y del dicho mi marido, que a intercesión de la dicha virreina se confirmó y puso nombre doña Teresa de la Cueva» (p. LXXV).

El nueve de diciembre de 1596 estaba en Santiago de Chile, pues fué entonces cuando hizo allí el que se conoce como su primer testamento. (Matta Vial, *Pedro de Oña*, p. 14, nota 49).

---

24 Enrique Matta Vial, *El licenciado Pedro de Oña*. Estudio biográfico crítico. Con un prólogo de J. T. Medina, Santiago de Chile, Imp. Universitaria, 1924, p. 14, nota 49.

Su segundo viaje a Lima tuvo lugar por los años de 1596 a 1605, cuando era virrey del Perú el Marqués de Salinas don Luis de Velasco. El citado documento añade: «Item, asimismo declaro que don Luis de Velasco, visorrey que fué del reino del Perú, me dió para la dote de otra mi hija y del dicho mi marido, llamada doña Catalina de la Cueva, un mil pesos de plata ensayada para que con ellos se pudiese meter monja» (p. LXXV).

Cuando hizo su testamento de 1605, doña Isabel de Acurcio se hallaba en Santiago de Chile y estaba de camino para la ciudad de Concepción, a donde iba por negocios que le convenían a ella y a sus hijos (p. LXXIII).

El padrastro de Pedro de Oña, don Cristóbal de la Cueva, era un caballero español de esclarecido linaje. Descendía nada menos que de la nobilísima casa de Alburquerque.[25] En los documentos de su tiempo aparece siempre con el tratamiento de «don», ya sea que se hable de él (Medina, *Colección*, XXVIII, 113), o que firme su nombre (*Ibid.*, XX, 416). Nació por los años de 1523. Esta fecha se deduce de su declaración como testigo en el proceso de Francisco de Villagra, el 28 de noviembre de 1558, en Concepción, Chile. Dice allí «que es de edad de treinta e cinco años, poco más o menos» (*Ibid.*, XX, 412).

La primera noticia que tenemos de don Cristóbal de la Cueva es del año 1548. Esta es la fecha en que Pedro de Valdivia fué nombrado gobernador y capitán general de Chile en el Cuzco (*Ibid.*, IX, 94). Don Cristóbal se halló presente a su nombramiento (*Ibid.*, XIII, 175). Del Perú se fué a Chile como uno de los capitanes de Valdivia (Mariño de Lobera, *Crónica*, 97 y 98).

En Chile, al fundarse la ciudad de Concepción en 1550 (Medina, *Colección*, IX, 106), don Cristóbal de la

25 Pedro de Oña, *Arauco domado*, 322, y Cristóbal Suárez de Figueroa, *Hechos de don García Hurtado de Mendoza*, cuarto Marqués de Cañete, «Colección de historiadores de Chile», V, Santiago, Imp. del Ferrocarril, 1864, p. 41.

Cueva figuró entre sus primeros vecinos encomenderos (Córdoba y Figueroa, *Historia de Chile*, 53) y en su primer cabildo (Medina, *Colección*, IX, 117) en calidad de regidor cadañero (Córdoba y Figueroa, *op. cit.*, 51). En 1553 era alcalde ordinario (Thayer Ojeda, *Las antiguas ciudades de Chile*, 98). A fines de 1553, cuando se fundó la población de los Confines, pasó a ella como vecino encomendero y regidor (Thayer Ojeda, *op. cit.*, 136 y 138). En 1557 nuevamente tuvo encomienda en Concepción (Medina, *Colección*, XXVIII, 113), donde fué alcalde ordinario en 1558 (*Ibid.*, XX, 341 y 412) y 1559 (*Ibid.*, X, 350). En 1560 lo hallamos avecindado en los Infantes (*Ibid.*, XXVIII, 373) de cuyo cabildo fué alcalde ordinario, 1560-1561 (Thayer Ojeda, *op. cit.*, 138); y regidor, 1562-1564 (*Ibid.*, 139) y 1580 (Mariño de Lobera, *Crónica*, 257).

Desconocemos la fecha de su muerte, pero consta que vivía aún en marzo de 1592 y que había fallecido en junio de 1594 (Matta Vial, *Pedro de Oña*, p. 21, notas 69 y 70). Doña Isabel de Acurcio, en su testamento de 1605, dispone que «le pertenecen a don Gerónimo de la Cueva los bienes raíces que quedaron en la dicha ciudad de Angol, pertenecientes a don Cristóbal de la Cueva, su padre, mi marido» (p. LXXVI). Pedro de Oña al describir la revista de Penco hace de él un elogioso recuerdo:

El claro don Cristóbal de la Cueva
En un rosillo suelto más que un pardo,
Haciendo muestra de ánimo gallardo,
De nuevo su intención probada prueba;
Las aceradas armas todas lleva
Con círculos y esmaltes de oro y pardo,
Y por su rostro, aun antes que se acerque,
Se ve lucir la sangre de Alburquerque. (AD, 322)

El apellido «de Oña» fué común en Hispano América desde los primeros tiempos de la Conquista, tanto que con el mismo nombre y apellido de nuestro poeta se conocen por lo menos tres personas en el siglo XVI. Un Pedro de Oña «fué Maestre de Campo de D. Diego de Almagro, durante las guerras civiles del Perú».[26] Otro Pedro de Oña, que había ido en compañía de Gonzalo Pizarro y en calidad de arcabucero, fué vecino de Quito.[27] Otro Pedro de Oña, natural de Burgos (Medina, *Historia*, I, 135), fué obispo de Venezuela[28] y autor de la *Primera parte de las postrimerías del hombre*, Madrid, 1603, y de varias obras en latín, cuya lista da Nicolás Antonio en su *Bibliotheca*[29] y que Palau y Dulcet[30] atribuye al Pedro de Oña chileno.

El primer dato que tenemos de la vida de Pedro de Oña es que el primero de junio de 1590, a la edad de veinte años, se matriculó en el Colegio de San Martín, en Lima. Esta información se halla en el *Catálogo de los colegiales* que hubo en el Real de San Martín desde el día primero de agosto de 1582 en que se fundó, hasta el doce de enero de 1771, «volumen en folio que existe en el Archivo Histórico de Madrid» (Medina, *Biblioteca*, I, 74).

El Colegio de San Martín, el primero que hubo en Lima para estudiantes seglares, fué fundado a petición de los jesuítas por el virrey don Martín Enríquez.[31] Se le

---

26 Juan María Gutiérrez, *El Arauco domado. Poema por Pedro de Oña*, [folleto] Valparaíso, Imp. Europea, 1848, p. 6.

27 Medina, *Diccionario biográfico colonial de Chile*, Santiago de Chile, Imp. Elzeviriana, 1906, p. 605.

28 Gregorio Víctor Amunátegui, «Artículo biográfico i bibliográfico sobre Pedro de Oña», en *Anales de la Universidad de Chile*, XXI (1862), 42.

29 Nicolás Antonio, *Bibliotheca hispana nova*, 2.ª ed., Madrid, II (1788), 223-224.

30 Antonio Palau y Dulcet, *Manual del librero hispano-americano*, Barcelona, Imp. Viader, 1926, V, 357.

31 Bernabé Cobo, *Historia de la fundación de Lima* [MS, 1639], ed. M. González de la Rosa, «Colección de historiadores del Perú», II, Lima, Imp. Liberal, 1882, p. 292.

dió el nombre de San Martín en honor del virrey, su fundador, y en él se enseñaban artes, teología, cánones y leyes.[32] «El actual Palacio de Justicia era el Colegio de San Martín».[33]

Pero ¿dónde pasó Pedro de Oña sus primeros años? Medina, el más diligente de sus biógrafos, basándose en que Oña al describir las costumbres de los araucanos en el *Arauco domado* se jacta de «conocer su frasis, lengua y modo» (AD, 85), supone que «debió permanecer en el sur [de Chile], muy inmediato a las fronteras» (*Historia*, I, 138). Matta Vial, que no le va en zaga, partiendo de la misma fuente, afirma que «los primeros años de Pedro de Oña transcurrieron en Angol, al lado de su familia» (*Pedro de Oña*, 21). Esto sería lo natural, pero no hay con qué probarlo.

¿Dónde hizo Oña sus primeros estudios? Medina (*Historia*, I, 139) considerando que en aquel tiempo no los pudo haber hecho en su propio país por falta de escuelas, supone que los hizo en la ciudad de Lima. Matta Vial, después de discutir una serie de hipótesis, llega a la conclusión indemostrada que «en Angol aprendió también las primeras letras y, según todas las probabilidades, se inició en los estudios de latinidad y filosofía» (*Pedro de Oña*, 22).

El ocho de agosto de 1590, Pedro de Oña se matriculó para el primer curso de Artes en la Universidad de Lima. Este dato figura «en una partida asentada en el primer libro de matrícula de la que se llamó Universidad de San Marcos, que se extiende desde el veinte de septiembre de 1583 al nueve de julio de 1593, . . . dando vuelta la foja 11» (Medina, *Historia*, I, 139) y que el mismo Medina consultó «prolijamente en 1876» (*Biblioteca*, I, 74).

32 Enrique Torres Saldamando, *Los antiguos jesuítas del Perú*. Biografías y apuntes para su historia, Lima, Imp. del Universo, 1885, p. 26.

33 Cobo, *Historia*, p. 292, nota del editor.

La Universidad de Lima fué fundada por cédula del Emperador Carlos V y su madre doña Juana, dada en Valladolid el doce de mayo de 1551 (Cobo, *Historia*, 232). En ella debía hacerse el estudio general que se hacía en la Universidad de Salamanca (*Ibid.*). Dicha fundación fué aprobada y confirmada por bula pontificia del Papa Pío V, dada en Roma, el 25 de julio de 1571 (*Ibid.*, 233).

Durante sus primeros años, la Universidad de Lima llevó una existencia tan precaria que de universidad no tenía más que el nombre (*Ibid.*, 231). Tal era el estado en que se hallaba cuando el virrey don Francisco de Toledo, por provisión del 24 de mayo de 1577 (*Ibid.*, 245), la ubicó en lugar cómodo y conveniente, la dotó de las rentas necesarias para los sueldos de los catedráticos y demás oficiales, y creó las cátedras que debía tener (*Ibid.*, 242).

Las cátedras eran: dos de Lengua de la tierra, una de Gramática de menores, una de Gramática de mayores, tres de Artes, una de Teología de prima, una de Teología de vísperas, una de Sagrada Escritura, una de Cánones de prima, una de Cánones de vísperas, una de Decreto, una de Leyes de prima, una de Leyes de vísperas, una de Leyes de instituta y una de Medicina o Filosofía (*Ibid.*, 243). Total 17 cátedras.

El 29 de mayo de 1591, Pedro de Oña se matriculó para el segundo curso de Artes en la Universidad de Lima (Medina, *Historia*, I, 140). El ocho de abril de 1592 se matriculó para el tercero (*Ibid.*).

El 25 de junio de este mismo año 1592, el virrey don García de Mendoza nombró a Pedro de Oña entre los colegiales que debían disfrutar de las diez y siete becas creadas por él en el Colegio Real de San Felipe y San Marcos, en Lima (Cobo, *Historia*, 298). El Colegio Real de San Felipe y San Marcos lo fundó el virrey don García de Mendoza, por provisión del 25 de junio de 1592, para que en él estudiasen diferentes facultades mayores que Gramática los hijos de los conquistadores y de personas beneméritas que habían servido a Su Majestad en esos reinos (*Ibid.*, 297). Cobo publica esta provisión en su *Historia*, p. 297-298.

«El Colegio Real de San Felipe y San Marcos, continúa Cobo, está contiguo con la Universidad, en un sitio muy capaz y con suficiente y acomodado edificio para la vivienda de los colegiales. Tiene un patio grande y cuadrado, y una huerta mediana, y entre patio y huerta está un cuarto de aposento en que viven los colegiales cada uno en el suyo, el refectorio y demás oficinas» (*Historia*, 296).

Acabamos de ver que el Colegio Real de San Felipe y San Marcos fué fundado el 25 de junio de 1592 y que en esa misma fecha se nombró a Pedro de Oña para una de sus becas. Por consiguiente, se equivoca Medina cuando afirma: «Lo cierto del caso es que en 1590 [Pedro de Oña] era colegial del real Colegio mayor de San Felipe y San Marcos de Lima» (*Historia*, I, 138). Es un error que después no sólo repitió el mismo Medina (*Biblioteca*, I, 74, y en su ed. del *Temblor de Lima*, p. LXV) sino también casi todos los que han escrito sobre la vida de Oña, incluso Menéndez y Pelayo en su *Historia de la poesía hispanoamericana*, II, 310.

A fines de 1592, según Medina, Pedro de Oña interrumpió los estudios que seguía en Lima y «marchó con los tercios reales» (*Historia*, I, 140) que el virrey don García de Mendoza despachó para la ciudad de Quito «a sofocar la rebelión que en aquella ciudad produjo la implantación del impuesto de alcabalas» (Medina, «Noticia preliminar», en *Temblor de Lima*, p. LXVI). ¿En qué basa Medina dicha afirmación? La basa en que Oña al referir la rebelión de Quito en el *Arauco domado* dice: «Pues, como yo lo vi, no solamente / dejaban de cumplir lo bien debido» (AD, 515). Su apoyo es muy débil, porque Oña relata la rebelión de Quito valiéndose de la ficción del sueño de Quidora y es ella la que habla. La frase: «Pues, como yo lo vi,»... es en este caso una figura poética que, por lo tanto, no debe tomarse literalmente.

Los documentos prueban que Oña, lejos de haber interrumpido sus estudios para marchar con los tercios reales a Quito, los seguía tranquilamente en Lima, porque el 17 de julio de 1593 se matriculó para el primer curso de Teología en la Universidad, según consta en su primer libro de matrícula, fol. 45, citado por Medina, *Historia*, I, 141.

En 1594 no tenemos ni la menor noticia de los estudios de Pedro de Oña. Sabemos en cambio que a fines de ese año estaba escribiendo el penúltimo canto del *Arauco domado* (AD, 620).

Nos dice Medina (*Historia*, I, 193 y 194) que cuando Pedro de Oña trabajaba en la composición del *Arauco domado*, se vió envuelto en una controversia literaria en sonetos, con un tal Sampayo, sobre si éste merecía o no merecía beber del agua del Parnaso. Esto lo han repetido escritores de la talla de Menéndez y Pelayo (*Historia*, II, 310), Matta Vial (*Pedro de Oña*, 32), Solar Correa,[34] y se considera hoy como un hecho en la vida de Oña. Nosotros tenemos ciertas dudas, por lo cual vamos a examinar el caso.

Los sonetos de que consta esta controversia literaria son doce: seis de Oña y otros tantos de Sampayo. De los sonetos de Sampayo, el tercero tiene sólo un verso. Los poseía en un manuscrito de letra de fines del siglo XVI el literato español José Sancho,[35] el cual los copió el

34 Eduardo Solar Correa, *Semblanzas literarias de la colonia*, Santiago de Chile, Nascimento, 1933, p. 52.

35 En la copia que se halla en la Biblioteca Nacional de Chile, José Sancho dice: «Copiado de un manuscrito de letra de fines del siglo XVI que obra en mi poder. Madrid, 27 de Octubre de 1860. José Sancho».

27 de octubre de 1860 para el historiador chileno Diego Barros Arana (Medina, *Historia*, I, 193 y nota 1). De esta copia, que actualmente se halla en la Biblioteca Nacional de Chile, y de la que nosotros tenemos un facsímil, los publicó Valderrama en 1866,[36] los reimprimió Medina en 1878 (*Historia*, III, 26-30) y se volvieron a imprimir en 1912.[37]

¿En qué basó Medina su afirmación? La basó en que en el título de los sonetos de la controversia literaria aparece el apellido Oña, en que el MS era de letra de fines del siglo XVI y en que en esa época compuso Pedro de Oña el *Arauco domado*.

Es verdad que el título de la mayoría de los sonetos dice: «Oña a Sampayo» o «Sampayo a Oña»; pero en ninguna parte se halla el nombre completo de Oña ni nada que permita identificarlo. Por lo demás, ya sabemos que el apellido Oña era común en el mundo hispánico. En cuanto a que el MS era de letra de fines del siglo XVI y que en esa época Pedro de Oña compuso el *Arauco domado*, son circunstancias que no prueban nada.

De las actividades estudiantiles o literarias de Oña durante el año 1595 no se conoce ningún dato.

A principios de 1596 Pedro de Oña ya tenía concluído el *Arauco domado* y ya había recibido el grado de licenciado. En el «Parecer» que dió don Juan de Villela sobre este poema el diez de enero de 1596, llama a su autor «el Licenciado Pedro de Oña». Don García de Mendoza, al concederle licencia para publicarlo, el once de enero del mismo año 1596, también lo llama repetidas veces «el Licenciado Pedro de Oña». Oña, por su parte, en la dedicatoria, el cinco de marzo, se firma «El Licenciado Pedro

---

36 Adolfo Valderrama, *Bosquejo histórico de la poesía chilena*, Santiago, Imp. Chilena, 1866, p. 161-167.

37 Valderrama, *Obras escogidas en prosa*, «Biblioteca de escritores de Chile», VIII, Santiago, Imp. Barcelona, 1912, p. 215-220.

de Oña». Toda esta información se halla en los preliminares de la primera edición del *Arauco domado.* No se sabe cuándo recibió este grado ni en qué facultad lo obtuvo.

A propósito de los estudios que Pedro de Oña hizo en Lima, se ha creado una leyenda que a fuerza de repetirse se considera hoy como un hecho real. En 1848, Gutiérrez dijo que «según el testimonio del abate D. Juan Ignacio Molina, fué siempre muy estimada en Chile la ciencia de las leyes; y muchos jóvenes chilenos pasaban a instruirse al Perú, donde aquella facultad se enseñaba con particular aplauso. De este número debió ser el Licenciado Pedro de Oña».[38] Con esta base y usando su imaginación, Chaparro, en 1850, al referir los estudios que Oña debió hacer en Lima, afirmó que «la jurisprudencia ocupó principalmente su atención, y el ejercicio de la abogacía le proveyó más tarde medios para una subsistencia honrada en aquella capital de la América del sud».[39]

En 1878, Medina no sólo aceptó como un hecho lo dicho por Gutiérrez y Chaparro, sino que aún trató de fijar la fecha en que Oña se pudo haber graduado de bachiller en leyes, pues dice «que más que probable es que desde ese mismo año [1592] se pasease ya por las calles de la coronada ciudad de los Reyes luciendo el manteo y bonete que los bachilleres de la Facultad de leyes debían cargar según disposiciones vigentes» (*Historia,* I, 140). Tan convencido estaba Medina de lo que decía, que repitió lo mismo en 1897 (*Biblioteca,* I, 75).

Como se ve, todo lo escrito por Gutiérrez, Chaparro y Medina a este respecto, no es más que pura suposición. Sin embargo, es la base inamovible en que se apoyan los que han tocado este punto. Por ejemplo, en 1862, Briseño

---

38 Gutiérrez, *El Arauco domado,* 6.

39 Vicente Chaparro, «Juicio crítico sobre Pedro de Oña», en José Ignacio Víctor Eyzaguirre, *Historia eclesiástica, política y literaria de Chile,* Valparaíso, Imp. del Comercio, 1850, I, 472.

dice simplemente que Oña fué abogado en el Perú[40] y Fuenzalida en 1903 lo incluye ya entre los primeros abogados chilenos.[41]

En abril de 1596 Pedro de Oña publicó en Lima su poema *Arauco domado*, en que canta los hechos de don García Hurtado de Mendoza como gobernador de Chile y como virrey del Perú. Esta obra, dice Oña en la dedicatoria, era la primera labor que salía de sus manos.

A raíz de la publicación del *Arauco domado*, Oña se vió envuelto en un largo y lamentable proceso que le siguió el doctor don Pedro Muñiz, deán y provisor del arzobispado de Lima. Este proceso fué editado por Medina en su *Biblioteca*, I (1897), 47-74. Por tratarse de un texto que tiene importancia tanto para la biografía de Oña cuanto para la historia de su época, daremos a continuación un breve sumario de su contenido. Para mayor claridad, en nuestras notas al pie de la página, lo citaremos con el título de «Proceso de Oña».

Fué el caso que a fines de abril de 1596, cinco representantes de los vecinos de la ciudad de Quito se querellaron de Pedro de Oña ante la Real Audiencia de Lima, porque en el *Arauco domado*, al referirse a los sucesos motivados por la implantación de alcabalas, los trataba muchas veces de traidores y rebeldes, pérfidos y desleales a Su Majestad, lo cual, según ellos, no era verdad. Pedían los querellantes que se mandaran recoger los ejemplares del libro antes de que su publicidad pasara adelante, y que se quemaran, «así los que hubiere impresos como el original por donde se imprimieron».[42]

---

40 Ramón Briseño, *Estadística bibliográfica de la literatura chilena*, Santiago de Chile, Imp. Chilena, I (1862), 530.

41 Alejandro Fuenzalida, *Historia del desarrollo intelectual en Chile* (1541-1810), Santiago de Chile, Imp. Universitaria, 1903, p. 375 y 380.

42 «Proceso de Oña», en Medina, *Biblioteca*, I, 59.

La Real Audiencia, por provisión del 24 de abril, ordenó que se llevara uno de los libros «al señor licenciado Espina, para que lo vea, y visto, se proveerá lo que convenga».[43]

Por esta querella de los vecinos de Quito sabemos que el 24 de abril de 1596, Pedro de Oña ya se había casado y estaba en el puerto del Callao con su mujer y casa para embarcarse con rumbo a la ciudad de Jaén, adonde iba nombrado corregidor. No se conoce la fecha de su nombramiento ni se sabe por cuántos años lo fué. Tampoco se sabe cuándo se casó ni el nombre de su mujer. El historiador chileno Roa y Urzúa[44] en una obra reciente dice que se llamaba Catalina Farfán y era natural de Valdivia; pero como no da la fuente de su información, nos limitamos a mencionar el dato para que sirva de pista para futuras investigaciones.

Pasaban los días y la Real Audiencia no daba su fallo sobre la petición de los vecinos de Quito. Entretanto, Oña se había embarcado con su mujer y casa en el navío el *Buen Jesús* que el cuatro de mayo había de salir del Callao para Guayaquil. La víspera de su partida llegó esta noticia a Lima, con el agregado de que Oña llevaba algunos cuerpos del *Arauco domado* para venderlos en su corregimiento de Jaén. Fué entonces cuando intervino el doctor Muñiz, en nombre de la autoridad eclesiástica.

El tres de mayo dictó el doctor Muñiz un auto, por el cual mandaba recoger todos los ejemplares del *Arauco domado* y ordenaba que mientras esto se hacía, nadie los leyera, «so pena de excomunión mayor» («Proceso de Oña», en Medina, *Biblioteca*, I, 48). Por otro auto y bajo la misma pena, mandaba notificar al licenciado Pedro de Oña que compareciera ante él «dentro de un día natural» (*Ibid.*,

---

43 *Ibid.*

44 Luis de Roa y Urzúa, *El reyno de Chile* (1535-1810). Estudio histórico, genealógico y biográfico, Valladolid, Talleres Tipográficos «Cuesta», 1945, p. 266.

49). Acusaba el doctor Muñiz a Oña de haber impreso su poema sin licencia de la autoridad eclesiástica y de que en él había palabras y razones no ciertas, que parecían «escandalosas, malsonantes y ofensivas» (*Ibid.*, 47).

Al día siguiente, cuatro de mayo, compareció Oña ante el doctor Muñiz, el cual lo sometió a un minucioso interrogatorio respecto a los cargos que le había hecho. He aquí en síntesis lo que Oña declaró. Dijo que el Virrey le había dado licencia para publicar su libro después de haberlo sometido al examen del maestro Avila y del licenciado Juan de Villela, «al uno para que lo viese y corrigiese lo malsonante acerca de nuestra fe católica, y al otro, el estilo» («Proceso de Oña», en Medina, *Biblioteca*, I, 50). Dijo además que todo lo que escribió en su libro en cuanto a lo de las alcabalas, estaba basado en una relación escrita que le había dado el Marqués de Cañete, parte de la cual tenía en su poder.

Poco satisfecho quedó el doctor Muñiz con estas explicaciones, porque apenas terminó el interrogatorio, dictó un auto en que le mandaba a Oña que no sacara de Lima ningún ejemplar del *Arauco domado* y que los que tuviera en su poder los exhibiera ante él. Le mandaba asimismo que en manera alguna saliera de la ciudad hasta que diera fianzas de «estar a derecho en esta causa y de pagar lo que en ella fuere juzgado y sentenciado y deje procurador conocido con quien se haga la dicha causa... y cumplido con el tenor deste auto daba y dió licencia al dicho licenciado Pedro de Oña para que se pueda ir y proseguir el dicho viaje» (*Ibid.*, 51).

Oña, por su parte, le presentó al doctor Muñiz un escrito en que le pedía que en vista de su descargo, le mandara dejar por libre y que le despachara luego, porque el navío en que tenía embarcada a su mujer y casa para ir al servicio de Su Majestad en el corregimiento de Jaén, se iría ese día, y de quedarse le «resultarían muchos daños y malos sucesos» (*Ibid.*, 52). A lo cual contestó el doctor Muñiz que a pesar de lo dicho y alegado, se guardara y cumpliera el auto que acababa de proveer. Ante tal negativa, el mismo día cuatro de mayo, Oña nombró como fiador a Juan Gutiérrez y como procurador a Antonio de Neira. Sin embargo, Oña no se fué aquel día. Se quedó «con su mujer y familia en el puerto del Callao» (*Ibid.*, 60), y desde allí dirigió personalmente su defensa contra las acusaciones del doctor Muñiz y los autos que éste dictaba contra él.

Por fin, el diez de junio de 1596, la Real Audiencia de Lima ordenó que se remitiera la causa al Rey, en su Real Consejo de las Indias, para que proveyera y mandara lo que más conviniera; que entretanto no se usara de los libros, y que del sitio en que estaban depositados por orden del señor provisor, se llevaran a su archivo, donde se guardaran hasta que Su Majestad los mandara ver; «y sobre este negocio no se presente ni admita ninguna petición» (*Ibid.*, 66).

¿Qué fin tuvo dicho proceso? Lo único que sabemos es que un año más tarde, el cinco de abril de 1597, el doctor Muñiz hizo sacar una copia del original que había en el archivo de la Real Audiencia de Lima (*Ibid.*, 72). Esta copia, según Medina (*Ibid.*, 74), se halla en el Archivo General de Indias.—Papeles de la colección de Escribanía de Cámara.—Legajo 500, y fué la que él utilizó para publicarlo.

¿Cuándo hizo Pedro de Oña su postergado viaje al corregimiento de Jaén? Este punto no se explica en los documentos de su proceso ni en ningún otro. En todo caso no pudo haberlo hecho antes del 17 de mayo de 1596, porque según el testimonio de Gerónimo de Ledesma, notario público, ese día estaba en Lima, donde le notificó «en su persona» («Proceso de Oña», en Medina, *Biblioteca*, I, 55) un auto del doctor Muñiz.

¿Dónde estaba la ciudad de Jaén, cabecera del corregimiento de Pedro de Oña, y cuál era su condición en aquellos tiempos? No tenemos los datos correspondientes e 1596. Nos conformaremos, por lo tanto, con lo que sobra el particular nos dice el bien informado cosmógrafo cronista López de Velasco. La ciudad de Jaén era el postrer pueblo de españoles del distrito de la Audiencia de Quito y estaba a cincuenta y cinco leguas al sur de Loja. Su población se componía de treinta vecinos, de los cuales veinticuatro eran encomenderos, y los demás, tratantes y pobladores. En su comarca había ocho o diez mil indios tributarios. Era tierra de buen clima, buenos pastos, mucho oro y otros metales.[45] Hoy pertenece al Perú y es provincia del departamento de Cajamarca.

¿Qué eran los corregidores? La respuesta nos la da Solórzano Pereira, contemporáneo de Oña. En el virreinato del Perú y otros lugares, se llamaban corregidores a los gobernadores de provincia. Eran lo que los alcaldes mayores en la Nueva España. Había corregidores en todas las ciudades y lugares que eran cabecera de provincia. Estaban encargados de gobernar, defender y mantener en paz y justicia a todos los habitantes de su distrito; de refrenar los vicios, borracheras e idolatrías de los indios. Las funciones de corregidor fueron creadas y reguladas por cédulas reales de 1531 y 1536, para corregir los abusos que se cometían con los indios. De aquí el nombre corregidor. Se hizo esto a imitación de lo que en los reinos de Castilla y de León habían hecho los Reyes Católicos.[46] Otro contemporáneo de Oña añade que el virrey «proveía gran número de corregimientos por tres años, pues los de mayor importancia, que duraban seis años, eran provistos

45 López de Velasco, *Geografía de las Indias*, 440.

46 Juan de Solórzano Pereira, *Política indiana*, 3.ª ed., ilustrada por Francisco Ramiro de Valenzuela, Madrid, Gabriel Ramírez, II (1739), 261.

directamente por el Rey... [y que su sueldo anual era] de 800 pesos ensayados, excepto algunos particulares corregimientos». [47]

¿Cuántos años estuvo Pedro de Oña de corregidor en la ciudad de Jaén? Los documentos no lo dicen. El hecho es que desde 1602, seis años después de su ruidoso proceso de 1596, lo hallamos nuevamente en Lima, tomando parte activa en su movimiento literario.

En 1602 publicó allí un soneto en los preliminares de las *Constituciones y ordenanzas de la Universidad*, [48] en loor de su Alma Mater. Se lo dedica en los términos siguientes: «A la florentissima Vniversidad de los Reyes dedicada al glorioso Euangelista, S. Marcos que tiene por symbolo al Leon, y acrecentada por el Leõ de España, nuestro muy catholico Rey Philipo tercero. El menor hijo della Pedro de Oña».

El mismo año 1602, Pedro de Oña publicó otro soneto laudatorio entre los preliminares de la *Miscelánea austral* de don Diego de Avalos y Figueroa. [49]

---

47 «Descripción anónima del Perú y de Lima a principios del siglo XVII, compuesta por un judío portugués» ... publ. por José de la Riva Agüero, en *Congreso de historia y geografía hispanoamericanas. Actas y memorias*, Madrid, Jaime Ratés, 1914, 355 y 356.

48 Consti / tvciones y / ordenanças / de la Vniversidad, y / Stvdio General de la / ciudad de los Reyes del Piru. / [Escudo de la Universidad] / Impresso en la Civdad de los / Reyes con licencia del Señor Visorey Don Luis / de Velasco, por Antonio Ricardo, / natural de Turin. / [viñeta] / MDCII. /

49 Primera parte / de la Misce / lanea Avstral / de don Diego D'Avalos y / Figveroa, en varios co / loquios. Interlocutores, Delio y Cilena. / Con la Defensa de Damas. / Dirigida al Excellentissimo / Señor Don Luys de Velasco, Caua-llero de la Orden de Santiago, / Visorey. y Capitan general de los Reynos del Piru, / Chile, y Tierra firme. / Con licencia de sv Excelencia / Impresso en Lima por Antonio Ricardo, Año / [viñeta] / M.DC.II. /

Al año siguiente, 1603, Oña publicó un nuevo soneto laudatorio entre los preliminares de la *Defensa de damas*, poema en octava rima, por don Diego de Avalos y Figueroa.[50]

El licenciado Juan Bermúdez y Alfaro, en el prólogo que escribió para el poema *La Hispálica* de Luis de Belmonte Bermúdez, al hablar de los floridos ingenios que éste conoció en Lima por los años de 1605[51] dice que Pedro de Oña estaba entonces para terminar un poema sobre el padre Javier: «El Ldo. Pedro de Oña hijo de la robusta Chile, bien muestra en su *Arauco domado* la luz que pudieran envidiar los mejores de Italia, si ya confiesa hoy, con la ventaja que se hace a sí mismo, que fué trabajo de sus primeros años, con sola la bizarría del natural gallardo; será si pone los últimos pinceles al poema del Padre Javier, apóstol de la India y discípulo del beato Ignacio, no el menos de los que blasonan en nuestros tiempos».[52] No se conoce este poema sobre el Padre Javier ni se menciona en ninguna otra parte.

En 1605, Pedro de Oña publicó en Madrid la segunda edición del *Arauco domado*, impreso por Juan de la Cuesta. Con este motivo, el fiscal de Madrid, don Pedro Marmolejo, se querelló criminalmente contra Oña, Juan de la Cuesta y el librero Francisco López, por haber publicado

---

50 Defensa de / Damas de Don / Diego D'Avalos y Figve- / roa, en octaua rima, diuidida en seis / cantos, donde se alega cõ me- / morables historias. / Y donde florecen algvnas senten- / cias, refutando las que algunos Philosophos decretaron contra / las Mugeres, y prouando ser falsas, con casos / verdaderos, en diuersos tiẽpos succedidos. / Con licencia de sv Excelen. / Impresso en Lima por Antonio Ricardo. / [viñeta] / M.DCIII. / [Colofón] Impresso en Lima por Antonio Ricardo, / Año MDCIII. /

51 Luis de Belmonte Bermúdez, [prólogo al] «Lector», en *Algunas hazañas de las muchas de don García Hurtado de Mendoza*, Marqués de Cañete, «Biblioteca de autores españoles», XX, Madrid, Rivadeneyra, 1866, p. 488.

52 Juan Bermúdez y Alfaro, «Prólogo», en La Hispálica / por / Luis de Belmonte Bermúdez. / Publícala por vez primera, / precedida de un estudio biográfico-crítico, / don Santiago Montoto / . . . Sevilla / Imprenta y Librería de Sobrino de Izquierdo / Francos, 43-47 / [1921], p. 44.

el poema sin la licencia del Real Consejo de las Indias. Pedía el fiscal Marmolejo que se mandara recoger la edición y que en Madrid se castigara con todo el rigor de la ley a Juan de la Cuesta y a Francisco López, y que en la ciudad de los Reyes se hiciera otro tanto con el licenciado Pedro de Oña y el impresor Antonio Ricardo.[53]

Tampoco sabemos en qué paró esta querella. Lo único que se saca en limpio es que el proceso iniciado en Lima contra Pedro de Oña por el doctor Muñiz en 1596, seguía aún pendiente o por lo menos no se le había aplicado castigo alguno.

Ese mismo año 1605, doña Isabel de Acurcio disponía que su hijo el licenciado Pedro de Oña debía gozar y heredar los bienes raíces que quedaron en la ciudad de Angol por fin y muerte de su padre.[54] Si Oña logró gozar o no esta herencia, no lo sabemos. Recuérdese a este respecto que en 1600 la ciudad de Angol había sido completamente destruída por los araucanos y que en 1605 ni se pensaba en repoblarla.

Según Eguiguren, Oña quedó viudo en 1605. Al referir la amistad que unía a la mujer de Antonio Ricardo con la de Pedro de Oña, Eguiguren escribe: «Doña Catalina de Oña falleció el 27 de febrero de 1605 y sus restos fueron sepultados en San Agustín [Lima]. El entierro fué de los que se titulaban «mayores» con toda pompa y boato. Corrió con todos los gastos Ricardo, en memoria de su esposa»[55] que también se llamaba Catalina. No hemos podido comprobar estos datos.

A mediados de abril de 1606, Pedro de Oña iba en viaje de la ciudad de Santiago del Estero, provincia de Tucumán, a la de Córdoba, en compañía de don Pedro

53 «Proceso de Oña», en Medina, *Biblioteca*, I, 72-74.

54 Isabel de Acurcio, «Testamento de 1605», en *Temblor de Lima*, p. LXXVI.

55 Luis Antonio Eguiguren, «El fundador de la imprenta en Lima», en *Las calles de Lima. Miscelánea* . . . por Multatuli [pseudónimo de Luis Antonio Eguiguren], Lima, Perú [no indica imprenta], 1945, p. 361.

Barraza, de Garcí Sánchez, del capitán Pedro de Aguirre y de Diego López de Lisboa, portugués. Esta información se halla, sin más detalles del viaje, en un documento publicado por Medina.[56] Es una declaración que don Pedro Barraza hizo el 29 de abril de 1606, ante Francisco de Salcedo, comisario del Santo Oficio en la ciudad de Santiago del Estero, provincia de Tucumán, acusando a Diego López de Lisboa de haber atado su mula a una cruz y de haberse jactado de ello. Barraza menciona a Pedro de Oña como uno de los que presenciaron el acto y oyeron lo dicho por el acusado.

Pero si este Pedro de Oña era el autor del *Arauco domado*, ¿cómo es que no figura en ninguna parte de dicho documento con su inseparable título de «licenciado» con que todo el mundo, incluso su madre, lo nombraba? ¿Estamos aquí en presencia de otro Pedro de Oña?

En 1607 Oña publicó en Lima un soneto laudatorio entre los preliminares del *Libro de plata reducida* por Francisco Juan Garreguilla. Se lo dedica así: «Al autor deste tan útil cuanto excelente trabajo, el licenciado Pedro de Oña».[57]

En 1608 el poeta sevillano Diego Mexía, residente entonces en Lima, publicó en Sevilla la *Primera parte del Parnaso antártico de obras amatorias*. Entre los preliminares se halla un soneto de Pedro de Oña, dirigido a Delio, «en nombre de la Antártica academia, de la ciudad de

---

56 Medina, *Biblioteca hispano-americana* (1493-1810), Santiago de Chile, Casa del autor, VI (1902), 455-456.

57 Libro de / plata redvzida / qve trata de leyes baias / desde 20. Marcos, hasta 120. Con sus Abe. / zedarios al margen. Con vna ta- / bla general a la postre. / Fecho por el contador Francis / co Iuan Garreguilla natural de la Ciudad de / Valencia en España. / Dirigido a los Señores Presidente / y Oidores de la Real Audiencia y Chanzilleria desta / Ciudad de los Reyes. / [Escudo de la ciudad de Lima] / Con licencia. / Impresso en Lima por Francisco del Canto / Año M. DC.VII. /

No hemos podido localizar esta obra en los Estados Unidos. La descripción citada es la que da Medina, *La imprenta en Lima* (1584-1824), Santiago de Chile, Casa del autor, I (1904), 100.

Lima, en el Pirú».[58] Esta era una academia literaria semejante a las que existían en Sevilla y Madrid. Diego Mexía figuraba entre sus miembros con el nombre de Delio.[59] No era, pues, la Antártica Academia la Universidad de Lima, como afirma Medina (*Historia*, I, 196) y supone Menéndez y Pelayo (*Historia*, II, 311).

Al principio de la citada obra de Mexía se publica un largo «Discurso en loor de la Poesía», dedicado al autor, y compuesto por una señora principal del reino del Perú, muy versada en la lengua toscana y portuguesa, cuyo nombre no se indica. Se compone este poema de 269 tercetos endecasílabos. Es una especie de arte poética muy interesante por su fina concepción de la poesía y por los datos que nos da de los ingenios que entonces vivían en el Perú. Al caracterizar a estos ingenios, la poetisa anónima menciona a Oña en los términos siguientes:

> Con reverencia nombra mi discante
> al Licenciado Pedro d'Oña: España
> pues lo conoce templos le levante.
>
> Espiritu gentil doma la saña
> d'Arauco (pues con hierro no es posible)
> con la dulçura de tu verso estraña.[60]

Para fijar una fecha aproximada al soneto de Oña y a las galanuras que la poetisa anónima decía sobre él, con-

---

58 Primera parte / del Parnaso / antártico, / de obras / amatorias. / Con las. 21. Epistolas de Ovidio, i el in Ibin, en tercetos. / Dirigidas a dõ Iuan de Villela, Oydor en la Chãcilleria de los Reyes. / Por Diego Mexia, natural de la ciudad de Sevilla; i residente / en la de los Reyes, en los riquissimos Reinos del Piru. / Año / [Grabado que representa el sol, dos montes; el Plus vltra y una fuente con la leyenda en círculo: «Si Marte llevo al ocaso las dos colunas; Apolo llevo al Antartico Polo, a las Musas i al Parnaso»] / 1608 / Con Privilegio; En Sevilla, / Por Alonso Rodriguez Gamarra. /

59 José de la Riva Agüero, «Diego Mexía de Fernangil», en *Congreso de historia y geografía hispanoamericanas. Actas y memorias*, Madrid, Jaime Ratés, 1914, p. 388.

60 «Discurso», en Mexía, *Parnaso antártico*, fol. 20v.

viene recordar que la aprobación del *Parnaso antártico* por Mexía fué dada en Valladolid el 28 de noviembre de 1604 y que la suma del privilegio, dada allí también, es del 14 de diciembre de 1605. Así consta en los preliminares.

A fines de 1609, Pedro de Oña publicó un poema titulado *Temblor de Lima año de 1609*[61] que se compone de 83 octavas reales de tipo normal, es decir, ABABABCC. Es un poema en forma de diálogo entre dos amigos, Arcelo y Daricio, que van de viaje por la sierra. Arcelo refiere a Daricio, a petición de éste, el temblor que sacudió a la ciudad de Lima la noche del 19 de octubre de 1609. La figura central del poema es el virrey don Juan de Mendoza y Luna, que toma sabias y prudentes medidas para reparar los daños causados por el terremoto y consolar a los afligidos.

El único ejemplar conocido de esta primera edición se halla en la Biblioteca John Carter Brown, Providence, R. I. Medina[62] lo publicó en edición facsímil en 1909.

En los últimos folios del volumen en que aparece el poema *Temblor de Lima año de 1609*, Oña publicó una «Canción Real Panegyrica», dedicada «Al Excellentissimo Señor Don Ivan de Mendoça y Luna, Marques de Montes Claros, Virrey destos Reynos del Piru, en su venida a ellos» (fol. 18r).

Esta canción real panegírica consta de 171 versos. Debió ser compuesta dos años antes de su publicación, porque don Juan de Mendoza y Luna llegó a Lima el 21

61 Temblor de / Lima año de 1609. / Governando el Marqves / de Montes Claros, Virrey Excellentissimo. / Y vna Cancion Real Panegyrica en la / venida de su Excellencia a / estos Reynos. / Dirigido a Don Ioan de Mendo- / ça, y Luna Marques de Castil de Bayuela su Primo- / genito successor. / Por el Licenciado Pedro de Oña. / [Escudo] / Con licencia. / Por Francisco del Canto. 1609. / [Colofón] En Lima por Francisco del Canto. / Año de M.DC.IX. /

62 El / temblor de Lima / de 1609 / por / el licenciado Pedro de Oña. / Edición facsimilar precedida de una noticia de / El Vasauro / poema inédito del mismo autor / Reimprímelo / J. T. Medina / Santiago de Chile / Imprenta Elzeviriana / 1909 / [Colofón] Se acabó de imprimir / el 21 de agosto de mil novecientos nueve / habiendo sido la tirada de / 250 ejemplares. /

de diciembre de 1607 (Cobo, *Historia*, 99). Como su título lo indica, no es más que un sostenido arranque lírico en alabanza del Marqués de Montes Claros, que había sido trasladado del virreinato de la Nueva España al del Perú.

En 1612 Pedro de Oña publicó entre los preliminares de la *Relación de las exequias de la reina doña Margarita* por fray Martín de León[63] una canción real dedicada también «Al Excellentissimo Señor Don Iuan de Mendoça y Luna, Marques de Montes Claros». Esta canción real, que se compone de 113 versos, no la ha visto ninguno de los biógrafos de Oña. Es muy superior a la de 1609. Oña habla en ella de la reina doña Margarita y del Marqués de Montes Claros con profundidad de pensamiento y sencillez de expresión.

A continuación de la canción que acabamos de mencionar, y en el mismo libro, Oña publicó un soneto laudatorio dedicado «al Presentado Fray Martín de León», autor de la *Relación de las exequias de la reina doña Margarita*. Este soneto tampoco lo han visto los que han escrito sobre Oña. En él Oña ensalza la obra del Presentado Fray Martín de León y profetiza su inmortalidad, pues lo compara nada menos que con el Ave Fénix.

El 30 de noviembre de 1613, según Roa y Urzúa[64], Oña contrajo segundas nupcias con Beatriz de Rojas, natural del norte de España, hija legítima de Andrés Sánchez y de Elena Rojas. En la imposibilidad de compro-

---

63 Relacion de las exequias que el exmo. S. D. Iuan de mendoça / y Luna Marques de Montesclaros, Virrei del Piru hizo / en la muerte de la Reina Nuestra S. Doña / Margarita. / [Grabado que representa el túmulo real] / Al Exmo. Señor don Iuan Hurtado de Mendoça y Luna, / Duque del Infantado del consejo de estado y gentil- / hombre de la camara de su magestad. / Por el Pressentado fray Martin de Leon, de la orden de / San Augustin / [Al pie de la portada, a la derecha] Lima anno / 1612 / [Al pie de la portada, a la izquierda] Fr. Franciscu, de bexarano / Augustiniensis scudebat / [Colofón] En Lima / Por Pedro de Marchan y / Calderon, Año de MDCXIII. /

64 Roa y Urzúa, *El reyno de Chile*, 266.

bar este dato, lo damos aquí por el valor que pueda tener, ya que Roa y Urzúa no sólo da nombres sino que indica sitio y fecha.

Después de 1613 no sabemos nada de Pedro de Oña durante catorce años, hasta 1627, fecha en que don Rodrigo de Carvajal y Robles publicó en Lima el *Poema heroico del asalto y conquista de Antequera.*[65] Carvajal y Robles menciona a Oña en los términos siguientes: «También de las Antárticas Regiones / al docto Pedro de Oña en el Palacio / Apolo le pondrá de sus blasones, / porque la vida ha de cantar de Ignacio».[66]

El año 1630 Oña publicó en Lima su tercera y última canción real. Se halla en los preliminares de *Vida, virtudes y milagros del nuevo apóstol del Perú el venerable P. F. Francisco Solano*... por el P. F. Diego de Córdova.[67] Se titula: «Canción real del Licenciado Pedro de Oña, en que se recogen las excelencias del Santo, derramadas por este docto libro. Introduze el Poeta al Rio de Lima, hablando con el Tibre de Roma; para el intento de todo lo aqui escrito. Rio Lima, al Rio Tibre». Sigue la canción real, que se compone de 426 versos. Es una poesía muy

---

65 Poema / heroyco del / assalto y conqvista / de Anteqvera, / A la Magestad cato- / lica del Rey Nuestro Señor Don / Felipe Quarto de las / Españas / Por Don Rodrigo / de Caruajal y Robles, natural de / la ciudad de Antequere [sic]. / Con licencia. / Impresso en la Ciudad de los Reyes. / Por Geronymo de Contreras. / Año de 1627. / [Colofón] Con licencia, impresso en Lima; [falta lo restante]. Tomado del facsímil que publica Medina, *La imprenta en Lima*, I, 259.

66 Citado por Medina en el «Prólogo» a Matta Vial, *Pedro de Oña*, VIII.

67 Vida, / virtudes y / milagros del nvevo / apostol del Pirv el venerable / P. F. Francisco Solano, de la Serafica / Orden de los Menores de la Regular Obseruancia, Patron / de la Ciudad de los Reyes, Cabeça y Metropoli / de los Reynos del Piru. / Por el P. F. Diego de Cordova Predica- / dor, Natural de la misma Ciudad, indigno Religioso de la dicha Orden. Saca- / da de las declaraciones de quinientos testigos jurados ante los Ilustrissimos se- / ñores Arçobispos, y Obispos de Sevilla, Granada, Lima, Cordoua, y / Malaga, y de otras onze informaciones que se an hecho / en diferentes villas, y ciudades. / Dirigida a la C. R. M. de Don Felipe IV. / nuestro señor, Rey de las dos Españas, y ambas Indias. / [Escudo de Castilla y de León] / Con licencia; En Lima, por Geronymo de Contreras: Año de 1630. / [Colofón] Con licencia. / Impresso En Lima; por / Geronymo de Contreras, Impressor de/libros, junto al Conuento de santo/Domingo; Año de 1630./

bella. Si Oña no hubiera escrito nada más, ella bastaría para consagrarlo como un buen poeta. Esta edición de 1630 de la obra del P. F. Diego de Córdova es rarísima, desconocida por todos los que han estudiado a Oña. Hay un ejemplar en la Biblioteca Pública de New York.

En 1643 el P. F. Alonso de Mendieta publicó en Madrid una segunda edición[68] de dicha obra, con nuevas adiciones, y reimprimió en ella la canción real de Oña. Esta segunda edición es muy rara también. Hay un ejemplar, con la portada manuscrita, en la Biblioteca de la Universidad de Yale. Es el que hemos visto. En la edición de 1643 se basó Medina (*Historia*, I, 238) para decir que en esa fecha Oña vivía todavía.

La segunda obra mayor de Pedro de Oña es *El Ignacio de Cantabria*,[69] impreso en Sevilla el año 1639. Aunque publicado en 1639, ya hacía varios años que este poema circulaba en manuscrito. En 1630 Lope de Vega lo menciona en el *Laurel de Apolo*[70] y en 1636 se le concede licencia para publicarlo. *El Ignacio de Cantabria* se divide en doce libros, con ilustraciones al principio de cada libro, y se compone de 10.000 endecasílabos distribuídos en 1.250 octavas reales. A diferencia del *Arauco domado* que fué escrito al correr de la pluma, Oña tardó quince años en componer *El Ignacio de Cantabria*. Así lo dice en su dedicatoria a la Compañía de Jesús. Trata esta obra

---

68 En esta segunda edición añadida por el Pe. Fray / Alonso de Mendieta de la misma Orden Califica- / dor del So. Offo. Comiso. Prouincial de la Sta. Prouincia / de los 12. Apostoles del Peru, y Procurador general de la ciudad de los Reyes en la / causa de la Canoniçacion del / mismo sierbo d. Dios Solano. / Al Rey Nro. Señor / Felipe IV Rey de / las dos Españas y ambas Indias. / Con licencia en Madrid en la Emprenta Real. Año de 1643. / [Colofón] Con privilegio/ En Madrid en la Imprenta Real. / Año de M.DC.XLIII. /

69 El / Ignacio / de / Cantabria / Ia Pte. / Por el Licdo. / Pedro de Oña / Dirigido a la / Compañia de / IHS. / Con privilegio. / En Sevilla. Por Francisco de Lyra Año de MDCXXXIX./

70 Lope de Vega, *Lavrel de / Apolo, / con otras rimas. /* ... Madrid, Iuan Gonçalez, 1630, silva II, fol. 13.

de la vida de Ignacio de Loyola, su viaje por España al monasterio de Monserrate, su peregrinación a Roma y a Jerusalén, y su vuelta a España por Génova.

El Ignacio de Cantabria fué recibido con aplauso general por los más brillantes ingenios españoles. Lope de Vega[71] celebra la suavidad de sus versos, Calderón y Pérez de Montalbán[72] lo elogian al recomendarlo para que se imprima. Oña, por su lado, creía que era la gloria de sus versos.[73] Pero la posteridad ha opinado de otra manera: *El Ignacio de Cantabria* no se ha vuelto a imprimir. Es lástima porque es un poema bien digno de mejor suerte.

La tercera y última de las obras mayores de Pedro de Oña es su poema *El Vasauro*, cuya dedicatoria a don Luis Gerónimo Fernández de Cabrera y Bobadilla, Conde Cuarto de Chinchón, virrey del Perú, firmó en el Cuzco el 13 de abril de 1635. El Conde Cuarto de Chinchón gobernó en el Perú desde 1629 hasta 1639 (Cobo, *Historia*, 91).

Por razones desconocidas, el MS de *El Vasauro* permaneció inédito durante tres siglos. Fué heredándose de familia en familia hasta que en 1886 lo compró el Gobierno de Chile por la suma de quinientos pesos para la Biblioteca Nacional,[74] donde actualmente se halla. En 1941, gracias al doctor Rodolfo Oroz, *El Vasauro* vió la luz pública en una elegante edición diplomática, acompañada de un buen estudio literario y lingüístico.[75]

Se divide este poema en once libros, y se compone de 9.840 endecasílabos distribuídos en 1.230 octavas reales.

---

71 *Ibid.*

72 «Preliminares» de Oña, *El Ignacio de Cantabria.*

73 Oña, *El Vasauro*, p. 185.

74 *Anales de la Universidad de Chile*, LXX (1886), 412-414.

75 El Vasauro / poema heroico / de / Pedro de Oña / editado / por primera vez, según el manuscrito que se conserva / en el Museo Bibliográfico de la Biblioteca Nacional / de Santiago de Chile / con introducción y notas / por / Rodolfo Oroz / de la Universidad de Chile / Prensas / de la / Universidad de Chile / Santiago / 1941 / XCVIII+334 p.

Oña canta en *El Vasauro* los hechos de los Reyes Católicos desde la campaña que pone fin a la guerra dinástica de Castilla en 1466 hasta la toma de Granada en 1492. Al mismo tiempo, Oña va haciendo resaltar los valiosos servicios que en tan magna obra les ha prestado don Andrés de Cabrera, ilustre antepasado del Conde Cuarto de Chinchón, virrey del Perú.

En prueba de gratitud por los servicios de don Andrés de Cabrera, los reyes Fernando e Isabel le obsequian un «Vaso de oro» o «áureo Vaso» (p. 168), al cual luego llaman «Vasáureo» (p. 169) y finalmente «Vasáuro» (p. 174). Así se explica el título del poema. La crítica, desde Barros Arana [76] en 1885 hasta el doctor Oroz en 1941, ha sido muy generosa con *El Vasauro,* y con sobrada razón.

En suma, Pedro de Oña nació en la ciudad de los Infantes de Engol en Chile, el año 1570. Fueron sus padres el capitán Gregorio de Oña, natural de Burgos, y doña Isabel de Acurcio. Estudió en la Universidad de Lima, donde se graduó de licenciado. Fué corregidor de Jaén. Escribió tres poemas mayores: *Arauco domado*, *El Ignacio de Cantabria* y *El Vasauro;* un poema menor: *Temblor de Lima año de 1609;* tres canciones reales, y seis sonetos. Vivía aún el 13 de abril de 1635, día en que firmó en el Cuzco la dedicatoria de *El Vasauro*. Se desconocen la fecha y el lugar de su fallecimiento.

---

76 Diego Barros Arana, *Historia general de Chile*, Santiago de Chile, Imp. Cervantes, V (1885), 418-423.

II

EDICIONES DEL *ARAUCO DOMADO*

Antes de tratar de las ediciones, diremos algo de la fecha y la publicación del *Arauco domado*. La primera referencia que tenemos acerca de la composición es que a los tres meses de haberla empezado, Oña estaba escribiendo el canto octavo: «En obra de tres meses que han corrido / he yo también corrido hasta este canto» (AD, 287). Si tomamos al pie de la letra lo que se lee en estos versos, quiere decir que en tres meses compuso casi la mitad del poema, pues consta de diez y nueve cantos.

La segunda referencia a su composición, y ésta más concreta, es que a fines de 1594, al empezar el verano en el Perú, Oña ya había llegado al penúltimo canto:

> El año es el presente en que esto escribo,
> De mil, que con quinientos y noventa,
> Contando cuatro más, remata cuenta,
> A la sazón que sale el tiempo estivo;
> Esto es acá en las partes donde vivo,
> Que allá en la grande España es otra cuenta,
> Adonde por abril entra el verano
> Con su querida Flora de la mano. (AD, 620)

La fecha que da Oña en esta octava no es una figura poética, porque los hechos que allí canta, la batalla naval contra Richarte Aquines, ocurrieron en el invierno de 1594, desde el 17 de mayo hasta el dos de julio. [1]

1 Pedro Balaguer de Salcedo, Relacion de lo / svcedido desde diez / y siete de mayo de mil y qvinientos / y nouenta y quatro años, . . . / hasta dos de Iulio . . . / *Publ.* en Un / incunable limeño / hasta ahora no descrito / Reimpreso a plana y renglón, con un prólogo / de / J. T. Medina / [Escudo] / Santiago de Chile / Imprenta Elzeviriana / MCMXVI /, fol. 9r.

No sabemos exactamente cuándo se terminó la composición del *Arauco domado*, pero si Oña escribía con la prisa que él dice,[2] y a fines de 1594 le faltaba sólo un canto, la terminación debió tener lugar por esos mismos días o a principios de 1595. Fué, en todo caso, antes del diez de enero de 1596, puesto que en esa fecha el poema había sido ya leído y examinado por el padre Esteban de Avila[3] y por el licenciado don Juan de Villela.[4]

Una vez que el poema estuvo terminado, Oña presentó una solicitud al Virrey del Perú pidiendo que se le concediera licencia y privilegio para imprimirlo y venderlo.[5] El Virrey, a su vez, en cumplimiento de lo que la real premática disponía sobre la impresión de libros, cometió «su examen y aprobación acerca de si contenía alguna cosa contra nuestra santa fe y buenas costumbres, al padre maestro Esteban de Avila, de la Compañía de Jesús, y lo tocante a su estilo y entereza de verso, con lo demás contenido en el dicho libro, al licenciado don Juan de Villela, alcalde de corte desta Real Audiencia».[6]

El diez de enero de 1596, el padre Esteban de Avila presentó al Virrey su aprobación del poema en estos términos: «He visto este libro que se intitula *Arauco domado*, y no tiene error contra nuestra santa fe: es libro provechoso, porque tiene muchas y graves sentencias, muy importantes para la vida humana; y es muy aparejado para incitar, mediante su levantado estilo, los ánimos de los caballeros a emprender hechos señalados y heroicos en defensa de la religión cristiana y de su rey y patria, aunque sea con riesgo de la vida... Por donde me parece que con justa razón se debe imprimir» (en AD, 5).

---

2 Prólogo al lector, en AD, 28.

3 Aprobación del padre Esteban de Avila, en AD, 5.

4 Parecer del licenciado don Juan de Villela, en AD, 6.

5 «Proceso de Oña», en Medina, *Biblioteca*, I, 50.

6 Cédula de licencia y privilegio del Virrey, en AD, 3.

Con la misma fecha, diez de enero de 1596, el licenciado don Juan de Villela presentó al Virrey su parecer sobre el *Arauco domado:* «He visto por orden de Vuestra Excelencia este libro que compuso el Licenciado Pedro de Oña, en el cual, demás del nuevo modo en la correspondencia de las rimas, muestra su autor una natural facilidad, un caudal propio y un no imitado artificio, con que, levantado en sus propias fuerzas, descubre muchas lumbres de natural poesía, tanto más dignas de estimación en un hijo de estos reinos, cuanto (por la poca antigüedad de la nación española en ellos) tienen menos de cultura y arte. Y así, fuera de ser muy justo que se le dé la licencia que pide, merece ser muy estimado, favorescido y premiado de Vuestra Excelencia»... (en AD, 6).

En vista de tan elogiosos informes, al día siguiente, once de enero de 1596, el Virrey dictó una cédula por la cual le concedía licencia y privilegio a Oña para que pudiera imprimir y vender su poema: «Por cuanto por parte de vos el Licenciado Pedro de Oña, decía el Virrey, me fué hecha relación que habíades compuesto un libro intitulado *Arauco domado*... y me pedistes y suplicastes os mandase dar licencia y privilegio para poder imprimir y vender el dicho libro en estos reinos por término de veinte años, o como yo más determinase. Y por mí visto vuestro pedimento... acordé de dar y di la presente; por la cual en nombre de Su Majestad, y en virtud de los poderes y comisiones que de su Real persona tengo, os doy licencia y facultad para que vos, ... podáis hacer imprimir y vender el dicho libro ... en todos estos dichos reinos del Pirú, Tierra Firme y Chile, por espacio y tiempo de diez años, que corran y se cuenten desde el día de la data de esta mi cédula» ... (en AD, 3).

La impresión del *Arauco domado* ya estaba terminada el cinco de marzo de 1596, fecha en que Oña firmó la dedicatoria, en la cual dice: «Ha días que lo tengo trabajado, y aun impreso, dilatando el sacarlo a público hasta que el Marqués se fuese, como ya (por daño nuestro) se va de estos reinos, porque el publicar sus loores en presencia suya no engendrase (a lo menos en dañados pechos y de poca consideración) algún género de sospechas, cosa de que tan ajena está la limpieza de la verdad que en todo este discurso trato»... (AD, 24).

Si Pedro de Oña esperaba que se fuese el Marqués de Cañete para dar a luz el *Arauco domado*, la fecha de su publicación se puede fijar en el mes de abril de 1596, porque fué entonces cuando don García Hurtado de Mendoza «partió para España, sabiendo venía ya cerca su sucesor» (Cobo, *Historia*, 98). Por otra parte ya hemos visto que a fines de ese mismo mes de abril, los capitulares de la ciudad de Quito pedían a la Real Audiencia de Lima que mandara recoger «los dichos libros antes que la publicidad dellos» [7] pasara adelante.

1. Ediciones antiguas

La primera edición del *Arauco domado* fué impresa en Lima en 1596 por Antonio Ricardo de Turín. Antonio Ricardo, según Medina [8] era un italiano piamontés que en fecha desconocida pasó a México, donde a principios de 1577 se le halla con imprenta propia en el Colegio de San Pedro y San Pablo de los jesuítas. En 1580 se trasladó con su imprenta a la ciudad de Lima, y desde 1584 hasta 1605 figuró allí como el primer impresor en los reinos del Perú. Ricardo murió en Lima. El 19 de abril de 1606 fué enterrado en la iglesia de Santo Domingo. Eguiguren [9] ha publicado el facsímil de su partida de defunción.

---

7 «Proceso de Oña», en Medina, *Biblioteca*, I, 59.

8 Medina, *La imprenta en Lima*, I, p. XIX-XXXIII.

9 Eguiguren, «El fundador de la imprenta en Lima», en *Las calles de Lima* ... p. 333.

Pasamos ahora a describir esta primera edición del *Arauco domado*, cuya portada es la siguiente:

Primera parte / de Aravco / domado, / compvesto por el Licen- / ciado Pedro de Oña. Natural de los Infantes de / Engól en Chile. Collegial del Real Co- / legio mayor de Sant Felipe, y S. / Marcos, fundado en la Ciu- / dad de Lima. / (.?.) / Dirigido a don Hvrtado de Men- / doça, Primogenito de don García Hurtado de Mendoça, Marques / de Cañete, Señor de las Villas de Argete, y su Partido. Visorrey / de los Reynos del Piru, Tierra Firme, y Chile. Y de la Mar- / quesa doña Teresa de Castro, y de la Cueua. / Hijo, Nieto, y Biznieto / de Virreyes. / (.?.) / Con previlegio, / Impresso en la Civdad de los / Reyes, por Antonio Ricardo de Turin. Primero / Impressor en estos Reynos. / Año de 1596. / (.?.) / Esta tassado a tres quartillos el pliego, / en papel. /

4.º Port., v. en bl.; prels., 11 folios sin foliar: 1. Cédula de licencia y privilegio del Virrey del Perú; 2. Erratas; 3. Aprobación del padre maestro Esteban de Avila; 4. Parecer del licenciado don Juan de Villela; 5. Retrato de Pedro de Oña; 6. Soneto del doctor Inigo de Hormero; 7. Canción del doctor Francisco de Figueroa; 8. Canción de un Religioso grave; 9. Canción de Diego de Ojeda; 10. Soneto de don Pedro de Córdoba Guzmán; 11. Soneto del doctor Gerónimo López Guarnido; 12. Soneto de don Pedro Luis de Cabrera; 13. Soneto de Cristóbal de Arriaga Alarcón; 14. Soneto del licenciado Gaspar de Villarroel y Coruña; 15. Dedicatoria a don Hurtado de Mendoza; 16. Prólogo al lector. Texto, 343 folios; tabla, un folio sin foliar, v. en bl. Tres octavas en cada folio. [HS]

Empiezan los preliminares, como era de rigor, con la cédula de licencia y privilegio al autor por diez años, dada por el Virrey del Perú en la ciudad de Lima, el once de enero de 1596. En líneas generales, la fraseología de esta cédula es la misma que se usaba en todas las de su clase, tanto en América como en España. Sirva de ejemplo comparativo la que se halla en los preliminares del poema *Elegías de varones ilustres de Indias* por Juan de Castellanos,[10] dada por el Rey.

En cuanto al interesado, según se deduce de dichas cédulas, la costumbre era que en su solicitud pusiera énfasis en el mérito de su obra, en que le había costado mucho trabajo y en que su publicación sería de provecho. Lo común era que pidiera privilegio por veinte años, y lo común era también que se lo dieran sólo por diez, como acabamos de ver en el caso de Oña.

En segundo lugar viene la lista de las erratas, en la cual no se da la fecha ni se indica el nombre del que la hizo. Las erratas son diez y nueve, doce que indican simples errores tipográficos, tales como *cosciencia* en vez de conciencia, *decérpito* en lugar de decrépito, etc., y siete que alteran el sentido del texto o el estilo del autor:

Fol.	*Oct.*	*Ver.*	*Dice*	*Debe decir*
19r	II	4	se columbre	certidumbre
26r	I	7	burujón	vedijón
34v	II	5	la vieron saltar	saltar la vieron
49r	III	1	dehezas	grandezas
145v	II	[al margen]	Don Luis	Don Miguel
271r	I	8	tomase	topase
303r	III	7	desta vez	lo que fuese

En tercer lugar se publica la aprobación del padre maestro Esteban de Avila, que ya hemos mencionado, escrita en el Colegio de la Compañía de Jesús de Lima, el 10 de enero de 1596.

---

10 Primera parte, / de las Elegías / de varones illvs- / tres de Indias. / Compuestas por Iuan de Castellanos Clerigo, Benefi- / ciado de la Ciudad de Tunja en el nueuo / Reyno de Granada / [Escudo real] / Con privilegio. / En Madrid, / En casa de la viuda de Alonso Gomez Impressor de / su Magestad. Año 1589. /

En cuarto lugar se inserta el parecer, también ya mencionado, del licenciado don Juan de Villela, alcalde de corte de la Real Audiencia de los Reyes, de fecha 10 de enero de 1596.

En quinto lugar se publica el retrato del autor, grabado en madera, con la siguiente leyenda alrededor, en forma de óvalo: «Pedro de Oña. Edad XXV años». Se le representa con barba y bigote, a la usanza de la época, y luciendo en la beca la corona que distinguía a los colegiales del Real Colegio Mayor de San Felipe y San Marcos.

Después del retrato de Oña vienen nueve poemas con la acostumbrada alabanza del autor y de su obra. Son tres canciones y seis sonetos. En el primer soneto, del doctor Inigo de Hormero, protomédico del Perú, se dice que la bien cortada pluma de Oña no sólo torna feliz y bienaventurada a nuestra era, sino que hace que se consuma en olvido «aquella memorable edad pasada / y se consagre a ti la venidera» (AD, 7).

Al soneto del doctor Hormero siguen las tres canciones. La primera, que se compone de 105 versos, es del doctor Francisco de Figueroa, dirigida al Marqués de Cañete, en alabanza del autor. Llama «nuevo Homero» a Oña y «nuevo Aquiles» a don García (AD, 8). La poetisa anónima del Perú, años más tarde, elogia a este doctor Figueroa «por su graciosa y elevada rima».[11]

La segunda canción, también dirigida al Marqués de Cañete, firmada por un Religioso grave, consta de 100 versos. Este religioso grave, buen versificador cuya identidad se ignora, muestra conocer bien el asunto del libro. Alaba al Marqués de Cañete por sus grandiosas obras como gobernante, y a Oña, por la excelencia de su poema «que al de Virgilio mengua» (AD, 13). Termina recomendándole al Virrey que cual otro Mecenas extienda la generosa mano a este nuevo Horacio.

11 «Discurso», en Mexía, *Parnaso antártico*, fol. 20r.

La tercera y última canción es de Diego de Ojeda. Consta de 110 versos y es la mejor de todas. Trata de la coronación del poeta por su «divino canto» (AD, 15). Le pide a don García que «con plumas, con buriles, con pinceles» le haga a Oña «corona de inmortal poeta» (AD, 17). Este Diego de Ojeda, a quien la poetisa anónima del Perú elogia con mucho entusiasmo,[12] es el autor de *La Cristíada.*[13]

Viene después el segundo soneto laudatorio. Es de don Pedro de Córdoba Guzmán, caballero del hábito de Santiago, al Licenciado Pedro de Oña, en que le desea que suba «triunfante al premio de la gloria» (AD, 19). El tercer soneto es del doctor Gerónimo López Guarnido, catedrático de Prima de Leyes en la Universidad de Lima, al autor, a quien llama «Oña divino» (AD, 20). El cuarto soneto es de don Pedro Luis de Cabrera, capitán de la guardia del Virrey, al autor, cuya obra califica de «milagroso y bel poema» (AD, 20).

El quinto soneto es de Cristóbal de Arriaga Alarcón, al autor, de quien dice que «si hay Apolo que cante, es este Apolo» (AD, 22). Cristóbal de Arriaga Alarcón es otro de los ingenios celebrados por la poetisa anónima del Perú.[14] El sexto y último soneto es del licenciado Gaspar de Villarroel y Coruña, abogado de la Cancillería Real de la ciudad de los Reyes, en nombre de la Academia Antártica, al Licenciado Pedro de Oña. Villarroel y Coruña debió de ser un poeta muy estimado en su tiempo, porque la poetisa anónima del Perú le dedica nada menos que tres

12 *Ibid.*, fol. 21r.

13 La Christiada / del Pa / dre Maestro / Frai Diego de Hojeda: / Regente de los Estudios de Predicadores / de Lima. Que trata de la vida i muerte / de Cristo nuestro Salvador. / Dedicada al Ecelentis / simo Señor don Iuan de Mendoça / i Luna, Marques de Montes / Claros, i Virrei del Peru. / Año [Grabado en madera que representa la Crucificación] / 1611. / Con Privilegio. [viñeta] / Impresso En Sevilla, por Diego Perez. / 4.º

14 «Discurso», en Mexía, *Parnaso antártico*, fol. 22r.

tercetos.[15] De él hay un soneto laudatorio entre los preliminares de las *Elegías de varones ilustres de Indias* por Juan de Castellanos (Madrid, 1589).

Después de las poesías laudatorias viene la dedicatoria del poema a don Hurtado de Mendoza, primogénito del Marqués de Cañete don García Hurtado de Mendoza: «No me pareció podía, ni era justo, dice Oña, acudir a otras manos, que a las de Vuestra Señoría con la primera labor que sale de éstas; porque siendo todo el blanco della no menos que alguna parte de las altas proezas del Marqués de Cañete, padre dignísimo de Vuestra Señoría, estaba muy en razón que quien tan legítimamente le hereda en todas ellas, que es lo más, le haya de suceder en esto, que es lo menos» (AD, 24).

Los preliminares terminan con el prólogo al lector. Este prólogo explica algunos de los puntos básicos del poema. No haremos aquí su análisis, ya que en el curso de nuestro trabajo tendremos que volver a él varias veces. Sólo queremos indicar por ahora las razones que tuvo Oña para darle el título de *Arauco domado* a su libro, sabiendo que Arauco no estaba domado ni lo estaría por muchos años. «Acordé dalle título de *Arauco domado*, explica Oña, porque aunque sea verdad que agora, por culpas nuestras, no lo esté, lo estuvo en su gobierno, [de don García] pues trujo pacífico a todo el Estado y demás tierra generalmente en tres años que estuvo a su cargo... Fué pues mi intento que hasta el nombre significase lo que sólo su valor, y no otro antes ni después dél, ha podido acabar; y aunque en esta Primera Parte no quede Arauco domado, al menos dispónese, como se verá por el discurso, para que lo quede en la Segunda» (AD, 27).

---

15 *Ibid.*, fol. 21v.

Comienza el *Arauco domado* con un Exordio de 21 octavas en que Oña expone las razones que le movieron a escribir su poema. La principal de ellas, se lo dice a don García hablando de Ercilla, fué el «ver que tan buen autor, apasionado, / os haya de propósito callado» (AD, 35).

Sigue el texto del poema, cuyo asunto lo componen tres hechos de armas: la expedición a Chile contra los araucanos, la expedición al Ecuador contra los rebeldes de Quito y la expedición naval contra el pirata Richarte Aquines. Estas tres expediciones salen de Lima y aunque en distintas épocas, el que las manda directa o indirectamente es don García Hurtado de Mendoza, primero como gobernador de Chile y andando los años, en calidad de virrey del Perú.

El *Arauco domado* se divide en diez y nueve cantos y consta de 1.988 octavas, con un total de 15.904 versos. La extensión de los cantos fluctúa entre 73 y 121 octavas. El más corto es el I, y el más largo el XVI. Hay tres cantos: III, VII y X, de 107 octavas cada uno; y cuatro: V, VI, XI y XII, de 113. Los demás son de números diferentes.

Para explicar palabras o conceptos que en el texto no están del todo claros, Oña se valió de numerosas notas marginales. Estas notas son 131. Termina el libro con una tabla en que Oña explica el significado de algunos términos propios de los indios, que no fueron incluídos en las notas. Dicha tabla se compone de las ocho palabras siguientes: chicha, macana, madi, Maule, molle, muday, pérper y ulpo.

Además de las erratas que hemos mencionado, hay en el texto muchas otras. La forma correcta de estas erratas se deduce del hilo de la narración. He aquí algunos ejemplos:

Fol.	*Oct.*	*Ver.*	*Dice*	*Debe decir*
8v	II	3	dejase	dejarse
15v	II	1	Cuam	cuan
61r	III	3	otras	otros
61v	I	1	rama	ramas
164r	I	3	cristiano	pagano
234v	II	5	porque quiera	por doquiera
245r	II	1	solmnente	solamente
333v	I	1	Ayurre	Aguirre

En el título de los folios hay sólo dos erratas: fols. 1r - 4v, dice «Canto primero», en vez de «Exordio», y en el fol. 60v se lee «Canto tercero», en lugar de «Canto cuarto».

En las palabras que al pie de los folios indican la continuidad del texto hay más de veinte erratas mayores, por ejemplo:

Fol.	*Dice*	*Debe decir*
85v	No hay	Mas no
162v	Responde	El indio
175r	Comien	Princípiase
180v	Con	Mas
308v	Pues	El cual
318v	Mas	Despuéblase
326v	Quede	La Galizabra

A pesar de estos errores la continuidad del texto es perfecta.

Donde el impresor del *Arauco domado* cometió el mayor número de errores fué en la numeración de los folios, desde el principio hasta el fin. Algunas veces repite el mismo número, por ejemplo el 13; otras lo retrasa, por ejemplo, después del 33 pone el 31; otras lo omite por completo, por ejemplo, 169-172. Termina el poema con el número 335 en lugar del 343. Estos errores tampoco afectan la continuidad del texto.

Según el testimonio de Pedro de Oña [16] y del impresor Antonio Ricardo, [17] la tirada de la edición fué de 800 ejemplares. De éstos se salvaron sólo los 60 que don García llevó consigo para España. El resto, como ya sabemos, fué recogido por orden del doctor Pedro Muñiz, provisor del arzobispado de Lima, y depositado en el archivo de la Real Audiencia de Lima. [18]

De la primera edición del *Arauco domado* se conocen sólo siete ejemplares. Hay dos en Madrid: uno en la Biblioteca Nacional [19] y otro en la Biblioteca del Ministerio de Fomento; [20] uno en la Biblioteca Nacional de México; [21] y cuatro en los Estados Unidos: uno en la Biblioteca Pública de la ciudad de Nueva York; otro en la Biblioteca de la Sociedad Hispánica, también en Nueva York; uno en la Biblioteca John Carter Brown, Providence, R. I.; y otro en la Biblioteca Pública de Boston. Nosotros hemos examinado cada uno de estos cuatro ejemplares.

Los siete ejemplares conocidos no son exactamente iguales. En el de la Biblioteca Pública de Boston, el orden de los preliminares es distinto al de las otras. Empieza con el soneto del licenciado Gaspar de Villarroel y Coruña, que en las demás va al fin de las poesías laudatorias; la cédula de licencia y privilegio, que en las otras está al principio, la pone en la penúltima hoja, etc. Parece que estos cambios se deben a una equivocación del encuadernador y no a un propósito determinado del autor de darle prominencia a uno de sus panegiristas.

He aquí el orden en que aparecen los preliminares del ejemplar de la BPL: 1. Soneto del licenciado Gaspar de Villarroel y Coruña; 2. Dedicatoria del poema a don Hur-

---

16 «Proceso de Oña», en Medina, *Biblioteca*, I, 51.
17 *Ibid.*, 48.
18 *Ibid.*, 66.
19 Menéndez y Pelayo, *Historia*, II, 320.
20 Medina, *La imprenta en Lima*, I, 44.
21 *Ibid.*

tado de Mendoza; 3. Aprobación del padre Esteban de Avila; 4. Parecer del licenciado don Juan de Villela; 5. Retrato de Pedro de Oña; 6. Soneto del doctor Inigo de Hormero; 7. Canción del doctor Francisco de Figueroa; 8. Canción de un Religioso grave; 9. Canción de Diego de Ojeda; 10. Soneto de don Pedro de Córdoba Guzmán; 11. Soneto de don Gerónimo López Guarnido; 12. Soneto de don Pedro Luis de Cabrera; 13. Soneto de Cristóbal de Arriaga Alarcón; 14. Licencia y privilegio del Virrey; 15. Erratas; y 16. Prólogo al lector.

En la descripción del *Arauco domado* que se halla en el *Ensayo* de Gallardo,[22] el orden de los preliminares es el mismo del ejemplar de la BPL, con la diferencia de que, tal vez por error, Gallardo omite la canción de un Religioso grave. Gallardo no dice a quién pertenecía el ejemplar que tuvo a la vista.

El ejemplar de la Biblioteca Nacional de Madrid, del cual se ha hecho recientemente una edición facsímil, cotejado con los que hay en los Estados Unidos, revela algunas variantes que no se pueden considerar como errores de imprenta, pues son en su mayoría correcciones estilísticas. El haber notado estas variantes nos obliga a interrumpir el tratamiento de las ediciones por orden cronológico; nos parece que la discusión de F, aunque es la última, pertenece aquí y no al fin del capítulo:

Arauco domado / por el Licenciado / Pedro de Oña / del Real Colegio Mayor / de San Felipe y San Marcos / obra impresa en Lima, por / Antonio Ricardo de Turín en 1596, / y ahora editada / en facsímil / [Escudo ovalado que representa un barco con la siguiente leyenda: Pluribus unum] / Madrid / Ediciones cultura hispánica / 1944 /

22 Bartolomé José Gallardo, *Ensayo de una biblioteca española de libros raros y curiosos*, Madrid, Rivadeneyra, III (1888), 1015-1016.

(Colección de incunables americanos, siglo XVI) [Colofón] Este *Arauco domado*, por el Licenciado / Pedro de Oña, acabó de imprimirse en los talleres / de Gráficas Ultra, S. A., de Madrid, / calle de Alcalá, núm. 126, el día / once de Diciembre, víspera de la / festividad de Nuestra Señora / de Guadalupe, de mil / novecientos cua- / renta y cuatro. / Laus Deo. /

4.º Port.; prels., 15 hojas; texto y tabla, 345 hojas. A la vuelta de la portada dice: Esta edición facsímil del *Arauco domado* / por el Licenciado Pedro de Oña, / consta de los siguientes ejemplares: / Ciento cincuenta, en papel / extra, sin numerar, dedicados / a mano; Tres mil, / numerados del 1 al / 3.000. En pa- / pel verju- / cado. / N.º 971. / [SD]

La persona que tuvo a su cargo esta edición facsímil no indica su nombre, ni dice de qué ejemplar se valió para hacerla. Deducimos que fué del de la Biblioteca Nacional de Madrid del dato siguiente. En la portada y en los folios 1r y 51r de la reimpresión, aparece el sello de la antigua Biblioteca Real, cuyos libros, como se sabe, se hallan actualmente en la de Madrid.

Damos a continuación las variantes más significativas que hemos notado en el cotejo de A con F. Se indican sólo los folios, octavas y versos de A, porque los de F no han cambiado. Para A nos hemos servido del ejemplar de la HS, que en estos casos es igual a los otros que hay en los Estados Unidos, es decir, en NYP, JCB y BPL. Modernizamos la ortografía para que haya uniformidad en las citas. Se omiten las palabras folio, octava y verso, las cuales se sobrentienden.

A26r,II,8: Con *sólo un hilo* della maniatado.
F Con *un hilito* della maniatado.

A26v,II,8: *Porque su Dios en él* más fácil entre.
F *Para que su Pillán* más fácil entre.

A42r,I,8: Que tanto y más pesado es *el* destierro.
F Que tanto y más pesado es *un* destierro.

A42v,I,8: *A Mapochó tomaron* el viaje.
F *Hicieron a Sanctiago su* viaje.

A42v,III,4: El *próspero Santiago* donde estaba;
F El *Mapochote pueblo,* donde estaba:

A42v,III,8: Con los que ya por él *habían venido.*
F Con los que ya por él *había traído.*

A46v,I,8: Hicieron *cordilleras y collados.*
F Hicieron *promontorios levantados.*

A224v,I,3-4: No estar el bien *en sólo* querer nuestro,
Sino que *pende más del alto* suyo; [de Dios]
F No estar el bien, *o mal, en* querer nuestro,
Sino que *solamente está en el* suyo; [de Dios]

A270r,II,2: Algunos *de la toga* poco sabios,
F Algunos *sacerdotes* poco sabios,

A270r,III,1-8: Que cuando ya una vez pierde la rienda
En el de más razón, el apetito,
Querello detener es infinito,
Y más si tiene ya metida prenda;
Mas el Marqués en esto puso enmienda
Haciéndolos echar luego de Quito
Para que no sirviesen sus razones
Al encendido fuego, de tizones.

F Y sus prelados mismos daban orden,
Habiéndose entendido convenía,
Que el que tuviese cargo o prelacía
Quedase sólo súbdito en su Orden;
Y aun por el mal ejemplo y gran desorden,
Que en otros más castigo merecía,
Por ser los que atizaban a la guerra,
Eran echados luego de la tierra.

Nótese que en la octava de F no es el Marqués, a quien Oña representa siempre como la personificación de la bondad, el que toma medidas contra los sacerdotes que ayudaban a los rebeldes de Quito, sino «sus prelados mismos».

En las notas marginales de F, si no es que se trata de casos de mala impresión, se suprimieron tres de las de A. Son las siguientes: A26v,I: Espantosa superstición de los indios; A26v,II: Engaño particular; y A42v,I: La ciudad de Santiago. En realidad estas tres notas no añaden nada a la comprensión del texto, que está perfectamente claro. Pero otro tanto podría decirse de muchas de las restantes, y sin embargo las dejó intactas.

Como no es posible que Oña reimprimiera el *Arauco domado* durante el proceso que le seguía el doctor Muñiz en 1596, habrá que convenir en que esas correcciones fueron hechas mientras se imprimía la primera edición y que aparecen sólo en algunos ejemplares, uno de los cuales es el que se halla en la Biblioteca Nacional de Madrid.

Esta edición facsímil tiene el defecto de que en muchos pasajes la impresión no está clara. Hay que adivinar lo que quiere decir o es necesario valerse de las otras para comprender el texto. He aquí algunos ejemplos:

F11v,III,5: El furibundo Marte no *sosslega*
A El furibundo Marte no *sossiega*

F169r,I,3: Y todo el *esqua ron* atrauessaron,
A Y todo el *esquadron* atrauessaron,

F175r,I,8: Y el cerro mas que nunca *ado.*
A Y el cerro mas que nunca *leuantado.*

F175r,II,2: Don Pablo de Espinosa, y *Di o* Cano
A Don Pablo de Espinosa, y *Diego* Cano

F308v,III,1: Fue hecho de *vasa lo* al Rey tan fido,
A Fue hecho de *vassallo* al Rey tan fido,

La mala impresión se observa también en las notas marginales. Algunas han salido incomprensibles y otras mutiladas. Ejemplos: en el fol. 143v,II,2, dice: *õ* Luys *e Tole*, en lugar de Dõ Luys de Toledo; en el fol. 144r,II,1, dice: *Pedro Aguayo*, en vez de Pedro de Aguayo; en el fol. 293r,I,4, dice: *Tucapo*, en lugar de Tucapel, etc.

Con todas sus faltas, F será de un valor inestimable para el estudio del *Arauco domado.*

La segunda edición del *Arauco domado* apareció en Madrid el año 1605, impresa por Juan de la Cuesta, el conocido impresor del *Quijote.* ¿Cuándo hizo Oña las diligencias para publicar esta edición? Medina dice que Oña «pensó desde el mismo punto en que se detuvo en Lima la circulación de su poema en hacer de él una reimpresión en España; a cuyo efecto, por medio de apoderado, obtuvo allí, en el propio año de 1596, la licencia para ejecutarla».[23]

Medina no da la fuente de su información, ni se halla en ninguna otra parte. Por lo cual consideramos que no es más que una suposición. Lo que sabemos de cierto, según el testimonio de Alonso de Vallejo, escribano de Cámara del Rey, es que el 19 de julio de mil quinientos noventa y nueve, Oña obtuvo privilegio por diez años para publicar el *Arauco domado* en España.[24]

Como ya hemos visto que de la primera edición del *Arauco domado* se hicieron dos impresiones, A y F, cabría preguntar cuál de ellas fué la que se utilizó para la segunda. La comparación de las variantes de A y F con B nos prueba que se usó un ejemplar de A. Al cotejar B con A se observa que en B hay numerosas variantes, desde la portada hasta el último canto. Son cambios que no sólo

23 Medina, «El anotador al lector», en su ed. del AD, p. VI.

24 Alonso de Vallejo, «Suma del privilegio», en los prels. de B.

alteran el texto, sino que lo mutilan. Esto nos presenta inmediatamente un problema básico, el de determinar si esos cambios los hizo Oña y las razones que tuvo para hacerlos. Lo veremos por partes, empezando con la portada:

Aravco / domado. / Compvesto por el / Licenciado Pedro de Oña, natural de los / Infantes de Engol en Chile, Colegial del / Real Colegio Mayor de San Felipe, y / San Marcos, fundado en la Ciu- / dad de Lima. / Dirigido a don Hvrtado / de Mendoça, Primogenito de don Garcia Hur- / tado de Mendoça, Marques de / Cañete, etc. / Año, [Escudo del Imperio] 1605. / Con privilegio, / En Madrid, por Iuan de la Cuesta. / [Línea horizontal] / Vendese en casa de Francisco Lopez. /

8.° Port., v. en bl.; prels., 16 folios sin foliar; texto, 342 folios; tabla, 2 folios sin foliar, v. del último en bl. Tres octavas en cada folio, excepto al principio y al fin de los cantos. [HS]

Lo primero que observamos en la portada de B es que omite seis líneas del título de A: al principio falta la frase *Primera parte de*, y al fin, las cinco líneas siguientes: Señor de las Villas de Argete, y su Partido. Visorrey / de los Reynos del Piru, Tierra Firme, y Chile. Y de la Mar- / quesa doña Teresa de Castro, y de la Cueua. / Hijo, Nieto, y Biznieto / de Virreyes. /

¿Por qué se omitieron estas seis líneas? La única explicación posible es que fué por falta de espacio, especialmente para darle cabida al escudo del Imperio que no estaba en A.

Los preliminares de B son: 1. Erratas, Madrid, 6 de mayo de 1605; 2. Tasa, Valladolid, 7 de julio de 1605; 3. Suma del privilegio [no indica el lugar], 19 de julio de 1599; 4. Cédula de licencia y privilegio [es la misma de A]; 5. Aprobación del padre maestro Esteban de Avila [es la misma de A]; 6. Parecer del licenciado don Juan de Villela [es el mismo de A]; 7. Dedicatoria a don Hurtado de Mendoza; 8. Soneto de don Pedro de Córdoba Guzmán; 9. Soneto del doctor Gerónimo López Guarnido; 10. Soneto de don Pedro Luis de Cabrera; 11. Soneto de Cristóbal de Arriaga Alarcón; 12. Canción del doctor Francisco de Figueroa; 13. Canción de un Religioso grave; 14. Canción de Diego de Ojeda; 15. Soneto del licenciado Gaspar de Villarroel y Coruña.

En los preliminares de B faltan el retrato de Pedro de Oña, el soneto del doctor Inigo de Hormero y el prólogo al lector. ¿Por qué se suprimió todo esto? Desde luego nos parece improbable que Oña hubiera querido omitir su retrato y el prólogo. ¿Fué entonces porque no estaban en el ejemplar que se usó para la reimpresión? Es muy posible, porque el retrato y el soneto en cuestión aparecen en la misma hoja, y el prólogo al lector también ocupa ambos lados de una hoja. Notamos además que el orden en que se presentan los preliminares de B no coincide con ninguno de los de A que hemos mencionado. Por ejemplo, en A las tres canciones laudatorias están antes de los cuatro sonetos; en B los sonetos aparecen primero.

En la dedicatoria del poema hay una variante de bulto. El título de la de A dice: A don Hvrtado de Mendoça, Primo- / genito del Marques de Cañete / don García Hurtado de Mendoça /, *a lo cual* B *añadió*: Señor de las / villas de Argete, y su partido: Visorrey / de los Reynos del Piru, Tierra firme, y / Chile, y de la Marquesa doña Teresa / de Castro, y de la Cueua. Hijo, / Nieto, y Viznieto de / Virreyes. / Esta adición es exactamente lo que B suprimió al fin del título de la portada de A.

Pasando ahora al texto de B, observaremos ante todo que en el canto x se omiten cuatro líneas del sumario y las veinte octavas últimas. Trataremos de explicar quién hizo estas correcciones y por qué motivo. Lo que se suprimió del sumario es esto: «Declárase la animosa determinación que tuvo, [don García] pasando primero él sólo con tres soldados para descubrir el campo y hollar los tan temidos términos del estado de Arauco. [Pasa toda la gente] sin riesgo ninguno, quedando los indios desmentidos» (A150v).

Estas líneas corresponden al episodio del paso del Biobío, cuyas estrofas no se omitieron. Oña pone marcado énfasis en dicho episodio, pues con él trata de realzar el arrojo y valentía del héroe del poema, en momentos en que flaquea el valor de su gente. Por lo tanto no podemos decir que fué el autor el que hizo esta corrección. Habrá entonces que culpar al impresor, que lo haría por falta de espacio, porque el sumario del canto décimo es el más largo de todos.

¿Cómo se explica la supresión de las veinte octavas? ¿También por falta de espacio? Desde luego podemos afirmar que no se debe a la intervención del autor. Oña termina todos sus cantos motivando el interés del lector para que pase al siguiente. El fin del canto décimo es muy brusco y violento. Es difícil saber si esto ocurrió por descuido del impresor o porque las citadas octavas no estaban en el ejemplar de que se servía.

En la lista de las erratas de B que hizo el licenciado Francisco Murcia de la Llana, hay sólo nueve palabras, las cuales representan errores tipográficos, tales como *tanta*, en lugar de tan; *desgarje*, en vez de desgajarse; *aroyos*, en lugar de arroyos, etc. Si nos basáramos en esta lista y le diéramos crédito al testimonio del corrector, que bajo su firma dice: «Vi este libro, y con estas erratas corresponde con su original»,[25] podríamos imaginarnos que el texto de B es casi perfecto. Mas no es así, sino todo lo contrario, como lo veremos en seguida.

La comparación de los textos muestra que la segunda edición del *Arauco domado* fué hecha con tanto descuido que de las siete erratas mayores que figuran en la

25 Francisco Murcia de la Llana, «Erratas», en los prels. de B.

lista de A, B sólo corrigió una, la palabra *burujón* que se había puesto en lugar de *vedijón*. Además de estas erratas que son imperdonables, porque el impresor las tenía a la vista, hemos notado muchas otras, más de un centenar. Algunas representan simples errores tipográficos, pero las más alteran el sentido del texto, y otras destruyen los endecasílabos. Vamos a probar nuestra aserción con algunos ejemplos. Va en primer lugar lo que dice B y en segundo, lo que debe decir según A.

Simples errores tipográficos:

B13v,I,5: Que en Alexandre *vimos* lo contrario
A13r,III,5: Que en Alexandre *vemos* lo contrario

B15r,II,8: Ni a Dido el primogénito *en* Anquises.
A15r,I,8: Ni a Dido el primogénito *de* Anquises.

B23r,I,4: Que *basta* para mísero *protento;*
A23r,I,4: Que *bastan* para mísero *portento;*

B76r,II,4: Que *atento* suele ser amor bastante;
A74v,I,4: Que *a tanto* suele ser amor bastante;

B254v,I,5: *Quedando* el popular atrevimiento
A247v, I,5: *Que cuando* el popular atrevimiento

Errores de B que alteran el sentido del texto:

B6r,III,4: Mostraba ya el *sumido* a la garganta,
A6r,II,4: Mostraba ya el *cuchillo* a la garganta,

B25r,I,6: Y lo que de *vencernos* quita el gusto
A25r,I,6: Y lo que de *vencer nos* quita el gusto

B160v,III,5: Así por las arenas *desechadas*,
A154v,III,5: Así por las arenas *desecadas*,

B166r,III,6: Que remover parece los *costados*.
A160r,III,6: Que remover parece los *collados*

B263v,I,4: Cualquiera *libertad* sus *ojos* daba:
A256v,I,4: Cualquiera *liberal* sus *joyas* daba:

Errores de B que destruyen los endecasílabos:

B10v,I,5: Mas aunque se *desengañe* no es bastante
A10r,III,5: Mas aunque se *desgañe* no es bastante

B179v,III,6: Que *no le* falsara el mismo fuego,
A173v,II,6: Que *no se le* falsara el mismo fuego,

B260v,I,2: Para *cualquiera* furor que se ofreciese,
A253v,I,2: Para *cualquier* furor que se ofreciese,

B287r,I,4: Quedándome ignorante *de que* era;
A280r,I,4: Quedándome ignorante *de lo que* era;

B335r,II,1: Heredia es el que digo, *diamante*
A327v,I,1: Heredia es el que digo, *dignamente*

Además de estos tipos de errores, B179v,II,5-6, invierte el orden de los dos versos siguientes:

A su caballo arrima pie y estribo,
Y visto el duro trance peligroso,

los cuales, según A173v,I,5-6, deben ir así:

Y visto el duro trance peligroso,
A su caballo arrima pie y estribo.

De las 131 notas marginales que hay en A, B suprimió una, la que en A278r,III,1, dice: *El Autor*. Esto parece que se debe a una distracción del impresor. En las 130 que conservó hay varias erratas y omisiones. Por ejemplo: en el fol. 217r,III,5, dice: «Nota que es buen agüero *de entre* los indios ver una culebra», en lugar de, según A210v,II,5: «Nota que es buen agüero *entre* los indios ver una culebra»; en el folio 224v,I,1, dice: «*Dé* las señas que trae», en vez de, según A217v, III,5: «*Da* las señas que trae», etc.

En el título de los folios, B repite las mismas erratas que ya hemos indicado en A y añade varias otras, por ejemplo: en el fol. 86v dice: «Canto cuarto», en lugar de «Canto quinto»; en el fol. 107v, dice: «Canto sétimo», en lugar de «Canto sexto»; en los fols. 179v y 181v, dice: «Canto décimo», en lugar de «Canto onceno», y en el fol. 285v, dice: «Canto diez y siete», en lugar de «Canto diez y seis». Hay además varios errores tipográficos, por ejemplo: en el fol. 105v, dice: «Canto *seitmo*», en lugar de «Canto sexto»; en el fol. 210v, dice: «Canto *trezno*», en lugar de «Canto treceno», etc.

En las indicaciones al pie de los folios que señalan la continuidad del texto, B tiene sólo cuatro erratas: fol. 75v, no indicó nada; fol. 168v, puso *Res* en lugar de *El Indio;* en el fol. 171r, puso *No* en lugar de *Ni;* y en el fol. 173r, puso *Con* en lugar de *Sin*. Sin embargo, no hay errores en la continuidad del texto.

En la numeración de los fols. de B hemos notado cinco errores: 103 por 130; 15 por 156; 175 por 157; 199 por 190; y 191 por 192.

En suma, de todo lo que hemos visto en la segunda edición del *Arauco domado*, se deduce que Pedro de Oña no intervino en los cambios que en ella se notan, que es una edición mutilada, que su texto está lleno de errores, y que es, por consiguiente, muy inferior a la primera.

Los ejemplares conocidos de esta edición son raros, aunque no tanto como los de la primera. Nosotros hemos examinado cinco: uno en la NYP, dos en la HS, uno en la JCB y uno en la Biblioteca de la Universidad de Harvard.

2. *Ediciones modernas*

La tercera edición del *Arauco domado* fué publicada en Valparaíso, Chile, el año 1849, bajo la dirección de Juan María Gutiérrez, literato y educador argentino que entonces residía allí. Gutiérrez hizo esta edición basándose en un ejemplar de la segunda, perteneciente a la Biblioteca Nacional de Lima que le prestó el gobierno del Perú. [26] «En la presente edición, dice Gutiérrez en el prólogo, si se han suprimido los elojios y aprobaciones que abultarían el libro sin acrecentar su mérito, hemos respetado escrupulosamente el testo, conservando los vocablos anticuados y los arcaicos, aun aquellos que fácilmente pudieran vestirse al uso del día con solo trastornar algunas letras o modificar las terminaciones. Hemos suprimido algunas advertencias marjinales al testo, que en nada ilustran su sentido, y variado la ortografía porque era imposible conservarla» (p. VII).

Veamos ahora el libro, cuya portada dice así: Arauco domado, / compuesto / por el Licenciado Pedro de Oña, / natural de los Infantes de Engol en Chile, colejial del / Real Colejio Mayor de San Felipe y San Marcos, fundado / en la ciudad de Lima. / Dirijido / A D. Hurtado de Mendoza, / primojénito de D. García Hurtado de Mendoza, Marqués / de Cañete, etc. / [Dos líneas paralelas] / Nueva edición, / Arreglada a la de Madrid del año 1605. / [Dos líneas paralelas] / Valparaiso. / Imprenta Europea, calle de la Aduana. / Marzo 1849. / X+523 p.

8.° Port., v. en bl.; «Noticias del autor y del libro», p. III-VIII; Dedicatoria, p. IX-X [por errata, III-IV]; Texto, p. 5-518; Tabla, p. 519-520; Notas del autor, p. 521-523; al fin, tres p. en bl. Cuatro octavas en cada página.

---

26 Gutiérrez, *El Arauco domado*, 4.

El título de la portada de G es igual al de B, con la excepción del escudo del Imperio, que fué suprimido.

En el prólogo de esta edición, titulado «Noticias del autor y del libro», Gutiérrez hace una reseña muy sumaria de la vida y de las obras principales de Pedro de Oña. Hay allí tres errores serios. Se equivoca Gutiérrez al decir que «Oña salió de su país y pasó a Lima a estudiar en el colejio de San Felipe y San Márcos» (p. III), pues sabemos que dicho colegio no existía todavía en 1590. Fué fundado en 1592 (Cobo, *Historia*, 297). Se equivoca también cuando escribe *Instituciones y ordenanzas*, en lugar de *Constituciones y ordenanzas*, refiriéndose a las de la Universidad de Lima del año 1602. El tercer error consiste en que al poema de Oña *Temblor de Lima año de 1609*, lo llama *Temblor de Lima en el año 1069*.

De acuerdo con su propósito, Gutiérrez eliminó todo el material que había en los preliminares de B, con la única excepción de la dedicatoria del poema, la cual reproduce fielmente.

En el texto de G hemos notado más de 200 variantes, las cuales son errores que proceden de dos fuentes principales. Por un lado, Gutiérrez copia la mayoría de los errores de B, y por otro, la edición fué hecha con mucho descuido, tanto de parte del editor como del impresor. Daremos algunos ejemplos. La forma correcta la indican A y F, que citamos en una sola abreviatura, AF.

Errores de B que repite G:

G15,II,6:	Aquel tan duro *seno* de traidores	(B7v,III,6)
AF7v,II,6:	Aquel tan duro *freno* de traidores	
G103,I,6:	Que es el metal *de* fértil indo suelo,	(B66r,I,6)
AF65r,III,6:	Que es el metal *del* fértil indo suelo,	
G266,II,1:	Aunque *solía también* el desconcierto,	(B174v,I,1)
AF168r,III,1:	Aunque *salió tan bien* el desconcierto,	

G492,I,8: Que más parece nubes *de* otra cosa. (B324v,III,8)
AF317r,II,8: Que más parece nubes *que* otra cosa.

Errores de G que alteran el texto:

G319,II,7: *Porque* los grandes males son menores,
AF203v,II,7: *Por quien* los grandes males son menores,

G362,IV,6: Bien como en su *lugar* está el racimo
AF232r,III,6: Bien como en su *lagar* lo está el racimo

G422,II,2: No le quedaba medio que *pudiese,*
AF271v,I,2: No le quedaba medio que *pusiese,*

G484,III,6: Se van las negras *hondas* estendiendo
AF312r,III,6: Se van las negras *sombras* extendiendo

Errores de G que destruyen los endecasílabos:

G32,I,8: A quien la *gloria se* atribuya
AF18v,III,8: A quien la *gloria desto se* atribuya

G78,II,1: *Ya* por las marítimas dehezas
AF49r,III,1: *Ya va* por las marítimas grandezas

G412,II,5: Otros le *acompañan* fuera destos,
AF264v,III,5: Otros le *acompañaban* fuera destos,

G510,II,7: La cual, *viendo* que era nuestra armada,
AF329r,III,7: La cual, *en viendo* que era nuestra armada,

Las 130 notas marginales que había en B, Gutiérrez las redujo a 67 y las puso al fin del libro. También contienen varios errores. Por ejemplo: en la nota 42, p. 522, puso *Guilleu,* en lugar de *Guillén;* en la nota 65, p. 523, escribió Alonso *criado* de Castilla, en vez de Alonso *Criado* de Castilla, etc. Asimismo hay errores en la tabla, por ejemplo: en la p. 519, línea 2, puso *entienden,* en lugar de *entiendan;* en la p. 520, línea 5, puso *cocaiv,* en vez de *cocaví,* etc.

En suma, la tercera edición del *Arauco domado* se caracteriza por el descuido con que fué realizada, por la gran cantidad de errores que contiene, y porque empeora el texto de la segunda.

La cuarta edición del *Arauco domado* fué hecha por Cayetano Rosell y publicada en el tomo XXIX de la Biblioteca de Autores Españoles: Biblioteca / de / Autores Españoles / desde la formación del lenguaje hasta nuestros días / Tomo vigésimonono / Poemas épicos / Colección dispuesta y revisada, con un prólogo y un catálogo / por don Cayetano Rosell / Tomo segundo / Madrid / Rivadeneyra / 1854. / p. 351-456.

4.º Port., dedicatoria y prólogo al lector, p. 351-352; texto, p. 353-455, a dos columnas con diez octavas en cada columna; tabla y notas del autor, p. 456.

En el prólogo que encabeza este tomo, Rosell dice que para su edición del *Arauco domado* se sirvió de un ejemplar de la primera, y que en vista de él pudo «restablecer algunos pasajes viciados en las ediciones posteriores, viciados de intento, porque se referían a expresiones y frases arbitrariamente modificadas» (p. XVI). Rosell no indica a quién pertenecía ese ejemplar, pero de la comparación de los textos se deduce que fué el de la Biblioteca Nacional de Madrid, porque R sigue las variantes de F.

La comparación de los textos revela también que el procedimiento seguido por Rosell al preparar su edición, en líneas generales, fué el siguiente: tomó un ejemplar de G, lo cotejó a la ligera con F, completó el título de la portada, simplificó el del Exordio, añadió el prólogo al lector, restauró las veinte octavas del canto décimo, enmendó el texto con las variantes de F, marcó las diéresis en los versos, y entregó el libro a la imprenta.

El resultado de tal procedimiento ha sido que la edición de Rosell no reproduce el texto de la primera, como pretende, sino el de la tercera, con casi todas sus faltas y el añadido de nuevos errores. He aquí algunos ejemplos. AF indican la forma correcta.

Errores de G que repite R:

R392(col.1),III,4:	Y aquel a quien mi pluma se *corrige;*	(G203,III,4)
AF127v,III,4:	Y aquel a quien mi pluma se *dirige;*	
R416(col.2),I,4:	Y aquellos que mataron *turcas* huestes;	(G320,II,4)
AF204r,II,4:	Y aquellos que mataron *tuscas* huestes;	
R437(col.2),IV,3:	Con quien se *acarreaba* de contino,	(G427,I,3)
AF274v,II,3:	Con quien se *carteaba* de contino,	
R452(col.1),VII,2:	Según su corto *número* rastrea,	(G500,IV,2)
AF323r,I,2:	Según su corto *límite* rastrea,	

Errores de R que alteran el texto:

R358(col.1),I,2:	En esta *corta y miserable* vida,
AF17v,I,2:	En esta *miserable y corta* vida,
R379(col.2),VIII,8:	Que *en los* novillos toro madrigado.
AF87r,II,8:	Que *entre* novillos toro madrigado.
R384(col.1),X,3:	Y quien al *padre caro* vigilante,
AF102v,I,3:	Y quien al *caro padre* vigilante,
R388(col.2),X,3:	Que, como crece el *sol* que me deshace,
AF117r,III,3:	Que como crece el *mal* que me deshace,

Errores de R que destruyen los endecasílabos:

R393(col.1),IX,6:	Por toda *montera* compañía,
AF132r,II,6:	Por toda *la montera* compañía,
R417(col.1),II,1:	Cual hembra que del hombre *maltrada*
AF206r,I,1:	Cual hembra que del hombre *maltratada*
R438(col.1),V,1:	Mas dado *que todo* me dolía,
AF276v,I,1:	Mas dado *que de todos* me dolía,
R448(col.1),IX,2:	*Por* tan alta empresa ¿quién diremos?
AF309v,III,2:	*Para* tan alta empresa ¿quién diremos?

En el sumario de los cantos, en las notas marginales y en la tabla, Rosell sigue al pie de la letra la lección de G, repitiendo sus errores y aumentándolos con los de su propia cosecha. Inútil nos parece seguir dando ejemplos, por lo cual vamos a decir solamente que el sumario del canto décimo, que discutimos al tratar de B, Rosell lo reproduce mutilado, exactamente como estaba en B y G.

En suma, la cuarta edición del *Arauco domado*, con la excepción de haber restaurado el prólogo al lector y las veinte octavas del canto décimo, y de haber enmendado el texto con las variantes de F, es más defectuosa que la tercera.

La quinta edición del *Arauco domado* fué hecha por José Toribio Medina y publicada en Santiago de Chile el año 1917, bajo los auspicios de la Academia Chilena: Arauco domado / de / Pedro de Oña / Edición crítica / de la / Academia Chilena / Correspondiente de la / Real Academia Española / Anotada por / J. T. Medina / [Sello que dice: Academia Chilena. Estudia y colabora] / Santiago de Chile / Imprenta Universitaria / MCMXVII / (Obras completas de Pedro de Oña, I, *Arauco domado*) [Colofón] En la Imprenta Universitaria, a seis del / mes de octubre de mil novecientos / diez y siete años acabóse de / imprimir este libro. / 4.º XII+718 p.

En el prólogo, que se titula «El anotador al lector», Medina nos explica cómo se originó el proyecto de hacer esta edición: «Deseosa la Academia Chilena, ... de divulgar las obras de los autores nacionales de cierta notoriedad, ... en sesión de 15 de junio del año próximo pasado [1916] acordó iniciar esa labor con la publicación de las obras de Pedro de Oña, nuestro primer poeta, ... designando al efecto a don Julio Vicuña Cifuentes para la de *El Vasauro*, hasta ahora [1917] inédito; a don Manuel

Antonio Román para la de *El Ignacio de Cantabria;* a don Francisco Concha Castillo para la de las poesías sueltas, y a nosotros para la del *Arauco domado*» (p. v).

De estos cuatro señores académicos, todos hoy fallecidos, el único que llevó a cabo su cometido fué Medina, y con tanta prisa que en poco más de un año dió a luz su edición crítica del *Arauco domado.*

Al frente de su edición, Medina publica el retrato de Pedro de Oña, reproducción del que apareció en la primera, con la adición de su firma. Esa firma es la misma que se halla en la dedicatoria del MS de *El Vasauro.* En las páginas 2-28, inclusive, se insertan los preliminares del *Arauco domado,* según fueron publicados en B, más el soneto del doctor Inigo de Hormero y el prólogo al lector de A, ambos suprimidos en B. El prólogo al lector lo tomó Medina de R. Se prueba esto con el hecho de que Medina repite los mismos errores de R. Por ejemplo, en la p. 27, línea 13, no aparece la frase que en AF dice: *a la margen, y los otros,* que falta en R. En cuanto al soneto del doctor Hormero, no se sabe cómo lo obtuvo.

En los preliminares de M hay varios cambios y omisiones que no aparecen en las ediciones anteriores, ni se explican por el anotador. Por esto vamos a indicar algunos de los que más se destacan. La forma correcta que damos en cada caso es la que se halla en AF.

En la canción del doctor Francisco de Figueroa, p. 7, línea 3, Medina puso: «Peso, que al fuerte *Atlas* el hombro inclina», en lugar de «Peso, que al fuerte *Atlante* el hombro inclina»; en la p. 9, a continuación de la línea 9, falta el verso siguiente: «Y en contrapuesto de arrojados dardos»; en la misma p. 9, línea 12, dice: «Pones *al* yugo la cerviz enhiesta», en vez de «Pones *el* yugo, la cerviz enhiesta»; y todavía en la p. 9, línea 23, puso: «Fundarles *otros reinos* a Hispanos Reyes», con lo que resultó un verso de doce sílabas, en lugar de: «Fundarles *otro reino* a Hispanos Reyes».

En la canción de un Religioso grave, p. 13, línea 14, Medina puso: «*Como* esta lengua desde el bajo suelo», en lugar de «*Con* esta lengua desde el bajo suelo». En la canción de Diego de Ojeda, p. 15, línea 10, dice: «De mirtos coronad, *cubrid de flores*», en vez de «De mirtos coronad, *ceñid de lauros*»; en la misma p. 15, a continuación de este verso, se omitió el siguiente: «De jazmines pintad, cubrid de flores».

En el soneto de don Pedro Luis de Cabrera, p. 21, línea 4, Medina dice: «*Eterna* le celebras por tu canto», en vez de «*Eterno* le celebras por tu canto». En el soneto del licenciado Gaspar de Villarroel y Coruña, p. 22, línea 6, puso: «*Al clima antártico* harás que venza y pase», con lo que resultó un verso de trece sílabas en lugar de uno de once, y que debe ser: «*Antártico* harás que venza y pase»; etc.

Al pasar revista a las ediciones anteriores, después de referirse a la de Gutiérrez, Medina escribe: «Muy superior a ésta fué la que se hizo para la *Biblioteca de Autores Españoles* de Rivadeneyra, bajo la dirección de don Cayetano Rosell, que tuvo el buen acuerdo de guiarse para ella por la edición príncipe, ... Tal es el texto que hemos de seguir para la presente reimpresión, aunque conservando siempre las formas usadas por nuestro poeta, pues si no nos ha sido posible tener a la vista algún ejemplar de la edición limeña,—cosa que habremos de lamentar en unos cuantos pasajes en que aparece dudoso lo que el autor escribiera,—esa falta se suple casi en absoluto con la versión que nos ofrece el literato español» (p. VII).

El error más grande que cometió Medina fué basarse en Rosell para hacer una edición crítica del *Arauco domado*. El resultado ha sido que su edición no restaura el texto de la primera, como se propuso y era de esperar, ni el de la segunda, ni el de la tercera, ni el de la cuarta. Es una mezcla de todas, con el añadido de nuevos errores. Presentaremos algunos ejemplos de los muchos errores que repite Medina y de los que él mismo comete, siguiendo el orden cronológico de las ediciones. AF indican la forma correcta.

Errores de AF[27] *que repite M:*

M70,15:	Mostrar que lo futuro *se columbre;*
AF19r,II,4:	Mostrar que lo futuro *certidumbre;*
M99,26:	Mas luego que *la vieron saltar* fuera,
AF34v,II,5:	Mas luego que *saltar la vieron* fuera,
M125,31:	Ya va por las marítimas *dehesas*
AF49r,III,1:	Ya va por las marítimas *grandezas*
M563,25:	Que ya no la *tomase* en el camino.
AF271r,I,8:	Que ya no la *topase* en el camino.
M622,5:	Haciendo *desta vez* lo de potencia
AF303r,III,7:	Haciendo *lo que fuese* de potencia

Errores de B que repite M:

M68,14:	Y haber por infalible *todo* hecho,	(B18r,II,2)
AF18r,II,2:	Y haber por infalible *en todo* hecho,	
M79,21:	Como esta *desabrida* y libre zorra,	(B24r,I,2)
AF24r,I,2:	Como esta *resabida* y libre zorra,	
M491,13:	Ella responde: *Ya* por mí lo hallo,	(B237r,I,1)
AF230r,III,1:	Ella responde: *Yo* por mí lo hallo,	
M537,18:	Cualquiera *libertad* sus *ojos* daba:	(B263v,I,4)
AF256v,I,4:	Cualquiera *liberal* sus *joyas* daba:	
M662,23:	Atájale esta *llama* y fácil vía,	(B331v,III,1)
AF334r,II,1:	Atájale esta *llana* y fácil vía,	

Errores de G que repite M:

M94,17:	Ya rompen, ya deshacen, ya *desmayan*	(G52,I,6)
AF32r,II,6:	Ya rompen, ya deshacen, ya *desmallan*	

27 Indicados en la lista de erratas de AF.

M270,28:	Aunque esto a mi *pesar* es imposible:	(G187,II,3)
AF117v,I,3:	Aunque esto a mi *pensar* es imposible,	
M290,18:	Cual *echar* por las llagas el resuello,	(G205,III,5)
AF129r,II,5:	Cual *echa* por las llagas el resuello,	
M459,13:	De aquel donaire *dél* tan cortesano,	(G332,IV,2)
AF212v,I,2:	De aquel donaire *bel* tan cortesano,	
M470,23:	Pues *todo* le *trujisteis* a la cuna:	(G341,III,4)
AF218r,III,4:	Pues *todos* le *trujistes* a la cuna:	

Errores de R que repite M:

M111,30:	*Salióle a Aguirre* en viendo que venía,	(R365(col.1),V,1)
AF41v,I,1:	*Salióle Aguirre* en viendo que venía,	
M170,24:	Sin pena, *ni* temor ni sobresalto?	(R374(col.2),II,8)
AF71v,III,8:	Sin pena, *sin* temor ni sobresalto?	
M232,12:	Y despegalle ya de la *estocada*,	(R382(col.2),II,7)
AF96r,II,7:	Y despegalle ya de la *estacada*,	
M561,23:	Habiendo *al don* Francisco el orden dado	(R436(col.1),VI,5)
AF270r,I,5:	Habiendo *a don* Francisco el orden dado	
M573,3:	Mas, dado que *todo* me dolía,	(R438(col.1),V,1)
AF276v,I,1:	Mas, dado que *de todos* me dolía,	

Errores de M que alteran el texto:

M106,29:	Quedaron muchos *años* prevenidos:
AF38v,I,5:	Quedaron muchos *daños* prevenidos,
M121,9:	Tras quien corrieron *otros* a juntarse
AF46r,III,3:	Tras quien corrieron *otras* a juntarse
M386,19:	*Al* salto da al través el suelto infante,
AF171r,I,1:	*Un* salto da al través el suelto infante,
M457,16:	Estando, pues, entonces *y* despierto,
AF211v,I,1:	Estando, pues, entonces *yo* despierto,
M650,21:	A quien, porque *informarse* más de cierto,
AF317v,II,7:	A quien, porque *informase* más de cierto,

Errores de M que destruyen los endecasílabos:

M55,15:	*Van los* ojos húmidos siguiendo
AF12r,II,5:	*Vanlos con* ojos húmidos siguiendo

M126,18: Las gavias hechas *arcos* al mar se inclinan:
AF49v,II,4: Las gavias hechas *arco* al mar se inclinan;

M274,18: *Porque* si mi vida amáis como ella os ama,
AF119v,II,7: *Pues* si mi vida amáis como ella os ama,

M319,7: Sin *reservar* dellos hombre alguno,
AF143v,I,6: Sin *reservarse* dellos hombre alguno,

M637,11: Fué *uno de* los más granados elegido
AF311v,I,2: Fué *de* los más granados elegido

En la página 84, a continuación del primer verso, falta el siguiente: «Las cuales en lugar de ricos paños» (AF26v,I,5).

Las 130 notas marginales que había en B, edición que Medina tenía a la mano,[28] las redujo a 83 y las puso al pie de la página. ¿Por qué suprimió las cuarenta y siete restantes? Medina no lo explica. En las que conservó hay varios cambios y omisiones. Ejemplos:

En la p. 103, nota 4, M dice: «Cunas de tal hechura que las puedan llevar a cuestas *por do quiera* que van», en lugar de «Cunas de tal hechura que las *pueden* llevar a cuestas *do quiera* que van» (B36v,III,4); en la p. 463, nota 1, puso: «frases latinas», en vez de «Frasis latina» (B220v, III,6); en la p. 468, nota 6, dice: «*En este tiempo* se había ya Guacolda casado con un español», en lugar de «*Nota que en este tiempo* se había ya Guacolda casado con un español» (B223v,I,4). En los dos primeros ejemplos, M sigue a G por intermedio de R. La omisión que hay en el tercero es de su propia cosecha.

En lo que la edición de Medina vale mucho es en sus notas sobre los personajes españoles del poema, aunque con frecuencia peca por falta de mesura. Repetidas veces dedica páginas enteras a lo que pudiera haber dicho en un par de líneas. Por ejemplo, en la p. 206, línea 7, Oña

(28) En la p. 661, nota 23, Medina dice que poseía un «ejemplar de la edición del poema de 1605», i. e., B.

menciona a un tal Ahumada, que ni siquiera se puede identificar con seguridad. Sin embargo, Medina dedica casi dos páginas a su biografía.

En conclusión, a pesar de que la quinta edición del *Arauco domado* corrige muchas de las faltas de las ediciones precedentes, no depura ni restaura el texto de la primera, como se propuso y era de esperar, y repite la mayoría de las erratas de todas ellas, especialmente de la cuarta, con la adición de nuevos errores.

3. *Traducciones y selecciones*

La única traducción completa del *Arauco domado* que conocemos es la versión al inglés hecha por los profesores C. M. Lancaster y P. T. Manchester, ambos de la Universidad de Vanderbilt, Nashville, Tennessee, y publicada en Albuquerque, N. M., en 1948, con el título de *Arauco Tamed.*[29]

En el prefacio, Lancaster y Manchester dicen que esta traducción del *Arauco domado* forma parte del proyecto que tienen de publicar en inglés los tres mejores poemas de la épica chilena. Los otros dos son *La Araucana* de Ercilla, ya publicada,[30] y el *Purén indómito* de Alvarez de Toledo, todavía en preparación.

En la introducción hacen un resumen de la biografía de Oña, una reseña de las ediciones del *Arauco domado* y un breve estudio comparativo de *La Araucana*, el *Arauco domado* y el *Purén indómito*, del cual traducen algunas estrofas. Hay varios errores en esta introducción. Por ejem-

(29) Arauco Tamed / by / The Licenciate Pedro de Oña / Translated into English verse by / Charles Maxwell Lancaster and / Paul Thomas Manchester / The University of New Mexico Press. Albuquerque. 1948. / 282 p. a dos columnas.

(30) The Araucaniad. / A version in English poetry / of Alonso de Ercilla y Zúñiga's / La Araucana, / Charles Maxwell Lancaster / Paul Thomas Manchester. / Published for Scarritt College, Peabody College and Vanderbilt University. / Vanderbilt University Press, Mashville, Tennessee, 1945. / 326 p. a dos cols.

plo, en la p. 18, último párrafo, dicen que *El Ignacio de Cantabria* fué publicado en 1636 y que los sonetos atribuídos a Oña en la controversia con Sampayo son cinco. Estos son errores que repiten de Menéndez y Pelayo (*Historia*, II, 310 y 320). La fecha de la publicación de *El Ignacio de Cantabria* es 1639 y los sonetos mencionados son seis.

Los traductores no indican de qué edición se valieron, pero no hay duda de que fué de la de Medina. Basamos nuestra deducción en que el encabezamiento del título de la dedicatoria del poema que tiene T es exactamente igual al de M y que en la introducción, al referirse a las ediciones, dicen: «The final and authoritative critical edition appeared in 1917, under the auspices of the Chilean Academy, annotated by José Toribio Medina» (p. 18). Se comprende pues que la prefirieran sobre las otras. Por consiguiente, toda comparación que se haga del texto de T tendrá que fundarse en M.

Los preliminares del *Arauco domado* que Medina había completado de acuerdo con la primera edición, los traductores los redujeron a dos: la dedicatoria y el prólogo al lector. Omitieron, además, todas las notas que tanto Oña como Medina creyeron necesarias para la mejor inteligencia del poema.

No es nuestro propósito detenernos en menudencias con respecto a las variantes de esta traducción, trabajo que ya ha hecho el profesor Neale-Silva[31] de la Universidad de Wisconsin. Por lo tanto, diremos sólo que un cotejo rápido de T con M revela que con la excepción de una octava, el poema está completo en la traducción. La octava que falta, tal vez por descuido, pertenece al canto XIV, p. 212 (col. 2) de T, a continuación de la línea 20, y es la siguiente:

---

31 Eduardo Neale-Silva, «Oña, Pedro de, *Arauco Tamed* (*Arauco Domado*)», en *Hispania*, XXXI (1948), 498-506.

Algunos, con verdad o con mentira,
Brotaban mil palabras descompuestas,
Aunque después, lloviéndoles[32] a cuestas,
Las llamas apagaban de su ira;
Estaban otros muchos a la mira
En todas las demandas y respuestas,
Que ni eran bien traidores, ni leales,
Sino del tercio género, neutrales. (AD, 505)

Selecciones del *Arauco domado* se hallan en todas las antologías que incluyen el período colonial, ya sea que se trate de la poesía chilena en particular o de la hispanoamericana en general. La selección más extensa es la que en 1895 publicó Menéndez y Pelayo en su *Antología de poetas hispanoamericanos.*[33] Contiene 106 octavas de las 113 del canto quinto. Omite las siete primeras. Esta misma selección se halla en Oyuela, *Antología poética hispanoamericana.*[34] En 1940, Seguel publicó una breve pero buena selección temática en su estudio sobre Pedro de Oña.[35]

También se han publicado, aquí y allí, selecciones breves vertidas al inglés. De todas éstas, la de mayor extensión es la que en 1943 publicó Lancaster en la revista de Boston, *Poet-lore.*[36] Contiene 33 octavas: las 21 del «Exordio» y las 12 del principio del canto primero.

---

32 M, lloviéndolas, por errata que repite de R.

33 Menéndez y Pelayo, *Antología de poetas hispanoamericanos*, Madrid, Tip. de la «Revista de Archivos», IV (1895), 5-29.

34 Calixto Oyuela, *Antología poética hispanoamericana*, Buenos Aires, Angel Estrada y Cía., I (1919), 4-34.

35 Gerardo Seguel, *Pedro de Oña. Su vida y la conducta de su poesía*, Santiago de Chile, Ercilla, 1940, p. 59-76.

36 Charles Maxwell Lancaster, «*Arauco Tamed* by Pedro de Oña», en *Poet-lore*, XLIX (1943), 41-49.

III

LOS PERSONAJES

1. El héroe del poema

El héroe del *Arauco domado*, don García Hurtado de Mendoza, nació en la ciudad de Cuenca, España, el 21 de julio de 1535. [1] Fueron sus padres don Andrés Hurtado de Mendoza, segundo Marqués de Cañete, y doña María Manrique, hija del Conde de Osorno. [2]

En 1556, don García se trasladó a Lima en compañía de su padre que iba con el cargo de virrey del Perú. [3] El 15 de septiembre del mismo año 1556 fué nombrado gobernador de Chile. [4] Tenía entonces 21 años de edad. A pesar de ser tan joven, ya era un distinguido capitán, pues había participado con brillo en las guerras «de Córcega, Rentín, de Sena y Flandes» (AD, 58).

Don García gobernó en Chile desde el 25 de abril de 1557 hasta el tres de febrero de 1561. [5] En 1562, vuelto a España, se casó con doña Teresa de Castro y de la Cueva, hija del Conde de Lemos. [6] Fué virrey del Perú desde el seis de enero de 1590 hasta abril de 1596. [7] En 1591, por fallecimiento de su hermano Diego, heredó el título de Marqués de Cañete. [8] Murió el 15 de octubre de 1609, a la edad de 74 años. [9]

---

1 Suárez de Figueroa, *Hechos de don García*, 5.

2 *Ibid.*

3 Medina, en su ed. de LA, vol. III, 28.

4 «Carta del Virrey del Perú don Andrés Hurtado de Mendoza a S. M.», 15 de septiembre de 1556, en Miguel Luis Amunátegui, *La cuestión de límites entre Chile i la República Arjentina*, Santiago, Imp. Nacional, I (1879), 342.

5 Barros Arana, *Historia general de Chile*, II, 108 y 259.

6 Suárez de Figueroa, *Hechos de don García*, 82.

7 Cobo, *Historia*, 98.

8 Suárez de Figueroa, *Hechos de don García*, 127.

9 *Ibid.*, 205.

Oña nos presenta a don García como un joven muy bien parecido. Dice que era de rostro aguileño (AD, 194), plácido y sereno (AD, 54); de buen cuerpo y de elegante figura (AD, 59). En Penco, cuando don García aparece en un brioso caballo para pasar revista a su gente, Oña lo compara nada menos que con el sol: «Catad allí do sale don García, / con tanto resplandor y luz tan rara, / que no salir Apolo no importara» (AD, 314).

Era, en suma, un bello mozo (AD, 312) que causaba la admiración de todos, especialmente de las damas. Por ejemplo, al salir de Lima en su viaje a Chile:

> Mírale el niño, el mozo y el anciano
> Y desde su balcón la bella dama
> A cuyo corazón helado inflama
> Aquel fogoso término lozano;
> Cudíciale mirándole, y en vano
> Sospiros lanza, lágrimas derrama,
> Y síguele afectosa con la vista,
> Muriendo por hallarse en la conquista. (AD, 59)

No eran sólo las limeñas las que se sentían atraídas por la hermosura de don García, sino hasta la misma Diana, con todas sus virtudes: «Tanto se ocupa en ver la traza bella / del valeroso joven extremado, / que dudo si con ser tan casta y pura, / de estímulo de amor está segura» (AD, 60).

¿Cómo era don García en realidad? Un cronista imparcial y verídico, que hizo con él la campaña de Arauco, dice que «tenía buena estatura, blanco, y las barbas que le salían negras, los ojos grandes; bien hablado, y se preciaba dello».[10]

Por su personalidad, don García era el caudillo ideal, pues no sólo inspiraba confianza sino que también despertaba el deseo de servir a sus órdenes. Cuando se anun-

---

10 Góngora Marmolejo, *Historia de Chile*, 91.

ció en Lima que había sido nombrado gobernador de Chile y que preparaba su expedición contra los araucanos, tal fué el entusiasmo que hubo en todo el Perú, así en los jóvenes como en los ancianos, que en muy poco tiempo tuvo a su mando un lucido y numeroso ejército:

No canto deleitoso de sirena,
Ni música del Músico de Tracia,
Ni piedra imán jamás fué de eficacia
Para llamar, trayendo a sí tan buena,
Cuanto la faz tan plácida y serena,
Aquella compostura, aquella gracia
Lo fué para mover las voluntades
De mozas y decrépitas edades. (AD, 54)

Lo que Oña dice respecto al poder magnético de la personalidad de don García no difiere gran cosa de lo que sobre el mismo punto había escrito Ercilla. Por ejemplo:

Uno se ofrece allí y otro se ofrece,
Así gran gente en número se mueve,
Y aquel que no lo hace, le parece
Que falta y no responde a lo que debe:
Hasta en cansados viejos reverdece
El ardor juvenil, y se remueve
El flaco humor y sangre casi helada
Con el alegre són desta jornada. (LA, 216)

En sus funciones de general, don García se conduce como un buen jefe: astuto, diligente, siempre listo para la defensa y el ataque. Cuando llega el momento de la acción se le verá entre sus soldados, animándolos con la palabra y el ejemplo. Así en la batalla de Penco:

En medio del estruendo y batería,
Enhiesto sobre el muro entre su gente,
Parece aquel magnánimo y valiente,
Aquel insigne joven don García. (AD, 193)

> Solícito por todas partes anda,
> En todo se interpone, a todo atiende,
> Y aunque en furor colérico se enciende,
> Con gran reportación ordena y manda. (AD, 194)

Ercilla, que tomó parte en esa batalla, confirma en cuatro versos lo que dice Oña: «Don García de Mendoza entre su gente / su cuartel con esfuerzo defendía, / al gran furor y bárbara violencia / haciendo suficiente resistencia» (LA, 321).

En cuanto a sus cualidades de soldado, no hay nadie que se iguale con don García por su valor, su fuerza y la destreza en el manejo de la espada. En la batalla de Penco, por ejemplo:

> Con su luciente espada en sangre roja
> Está sirviendo al muro de muralla,
> Y adonde ve más viva la batalla,
> Con más denuedo y ánimo se arroja;
>
> De una estocada a Pínguedo barrena,
> Y de otra punta al diestro Longo ensarta;
> Al alma de Copil del cuerpo aparta,
> A Crin de tajo un músculo cercena. (AD, 199)

Luego se encuentra con Gracolano, Leucotón y Rengo, tres de los caciques más valientes, y entra con ellos en combate:

> Al mozo Gracolán de un tajo había
> Llevádole del asta un gran pedazo,
> Y al diestro Leucotón herido un brazo,
> Que embarazoso y tardo le traía;
> Mas al potente Rengo no podía
> Hacer algún estorbo ni embarazo,
> Por ser sobremanera el indio suelto,
> Desempachado, libre y desenvuelto. (AD, 213)

Con la ayuda de don Felipe de Mendoza, don García logra rechazar a los tres caciques, y avanza victorioso haciendo milagros con la espada (AD, 232). Al ver que el general Caupolicán ha entrado en la plaza y que hace mucho daño entre su gente, don García «se va para él deshecho todo en ira» (AD, 234) y en un instante lo deja inutilizado para el combate.

Don García, a quien vemos que pelea con tanta bravura, era según Oña, de un noble corazón. En el discurso que le pronunció a su gente después de la batalla de Penco, terminaba aconsejándoles: «Y que tengáis por colmo de la gloria / usar con el vencido de clemencia, / de suerte que al furor no deis licencia / para manchar con sangre la vitoria» (AD, 299). En la batalla de Biobío, cuando los araucanos se retiraban en derrota, Oña dice que no fueron perseguidos a causa de las dificultades naturales del lugar: «Fuera de que jamás con los vencidos / usó del crudo filo riguroso / sino del más süave y más templado / el noble corazón de don Hurtado» (AD, 409).

Sobre el tratamiento de los vencidos, lo que afirma Oña es una cosa y lo que en realidad ocurría era algo muy distinto. Por ejemplo, Góngora Marmolejo refiere que entre los prisioneros que tomaron en la batalla de Millarapue figuraban diez caciques, señores principales, que hacían el oficio de capitanes y que «don García los mandó ahorcar todos».[11]

Muchos son también los casos de atrocidades cometidas con los prisioneros que se hallan en *La Araucana* y que Ercilla condena duramente. Por ejemplo, al relatar el suplicio de Caupolicán, dice: «Pues con modo inhumano han excedido / de las leyes y términos de guerra, / haciendo en las entradas y conquistas / crueldades inormes nunca vistas» (LA, 512).

---

11 Góngora Marmolejo, *Historia de Chile*, 76.

Como gobernante, una de las características más notables de don García, tanto en Chile como en el Perú, según Oña, fué siempre la prudencia. Antes de tomar cualquier resolución importante, lo primero que hacía era consultar el caso con sus consejeros. Así lo hizo, por ejemplo, al legislar en Chile para corregir los abusos que los encomenderos cometían con los indios de paz: «Mas, era este negocio de consejo, / y aunque pudiera bien a todos dalle, / quiso de los teólogos tomalle / para llevar su hilo más parejo» (AD, 104).

De la misma manera procedió años más tarde, cuando era virrey del Perú, al tener conocimiento de la rebelión de Quito con motivo del cobro de las alcabalas: «Y para que dolencia tan dañosa / tuviese por entero mejoría, / la quiso consultar con hombres cuerdos / en generales cónclaves y acuerdos» (AD, 522). Otro tanto hizo al saber que el pirata Richarte Aquines iba por la costa de Chile con rumbo al Perú: «Hizo el Virrey llamar, como solía, / a cónclave y acuerdo sobre el caso, / que nunca sin consejo daba paso, / pues le llevaba en todos por su guía» (AD, 621). Tal era la prudencia, el talento y el acierto con que don García desempeñaba sus funciones de gobernante, sobre todo en el Perú, que en sus actos procedía «como si algún espíritu divino / en todo le llevara de la mano» (AD, 496).

Al mismo tiempo que Oña alaba a don García por sus cualidades de gobernante, lo presenta como el símbolo de la justicia, severo con los poderosos y clemente con los humildes. Para probar que era inflexible con los poderosos cita la prisión y destierro al Perú de los capitanes Francisco de Aguirre y Francisco de Villagrán, porque después de la muerte de Valdivia ambos reclamaban el derecho de sucederle en el mando de Chile y habían estado a punto de empezar una guerra civil: «Sobre estos validísimos varones, / en Chile por pirámides tenidos, / asiento de ambición y de cudicia, / cayó derecho el rayo de justicia» (AD, 113).

Y para demostrar su espíritu de clemencia con los humildes, menciona el caso del soldado Rebolledo, a quien don García le perdonó la vida después de haberlo condenado a la horca por el delito de haberse quedado dormido cuando estaba de centinela en Penco: «Usó con esto el joven de clemencia, / sin cuyo acompañado, la justicia / apenas es virtud, porque se envicia» (AD, 294).

Opinión muy diferente tenía Ercilla, por experiencia propia, de la prudencia de don García como gobernante y de su manera de hacer justicia. Al fin del último canto de *La Araucana*, refiriéndose a él cuando era gobernador de Chile, dice:

> Ni digo cómo al fin por acidente
> Del mozo capitán acelerado,
> Fuí sacado a la plaza injustamente
> A ser públicamente degollado;
> Ni la larga prisión impertinente,
> Do estuve tan sin culpa molestado;
> Ni mil otras miserias de otra suerte,
> De comportar más graves que la muerte. (LA, 603)

Oña nos presenta a don García como un joven de carácter profundamente religioso, «que solamente pone en Dios la mira / y en propagar la fe de Jesucristo» (AD, 60). Esto es lo único que le interesa y lo que motiva todos sus actos. Emprende la expedición a Chile como si fuera una verdadera cruzada, para lo cual, además de su ejército, va «con una religiosa compañía / de clérigos y frailes consagrados» (AD, 60).

Como ejemplo de su fervor religioso, Oña refiere que cuando don García llegó a la ciudad de la Serena, faltaba allí «el misterioso y alto Sacramento, . . . / mas, con su caridad intensa y alta, / haciendo a costa suya el ornamento, / hizo que desde entonces no faltase» (AD,108). Luego, para darles a los indios una muestra de humildad ante Dios, al llevarse en procesión al templo el Santísimo Sacramento, don García se tendió en el suelo e hizo que el presbítero pasara por encima de él, «tratando con el pie su cuerpo humano, / pues el de Dios trataba con la mano» (AD, 109).

Este episodio está tomado al pie de la letra de un pasaje de Mariño de Lobera, que dice así: «La primera cosa en que don García dió orden en la ciudad de la Serena, fué, que se pusiese el Santísimo Sacramento en la iglesia mayor, que hasta entonces no le había ... proveyendo él de las cosas y convenientes resguardos para ello. Y mandó dar principio a esto con celebrar la fiesta de Corpus Cristi... y él se fué sólo con un paje a un arco triunfal, y al tiempo que había de pasar el Santísimo Sacramento, se tendió en el suelo, y pasó el sacerdote que lo llevaba por encima dél, lo cual hizo el gobernador por la edificación de los indios, significándoles con aquesto la veneración que a tan alto sacramento es debida» (*Crónica*, 198).

En contraste con la mayoría de los conquistadores, Oña presenta a don García como un hombre desinteresado. Para mostrar lo poco que le importaban las cosas materiales, cuenta que cuando estaban construyendo el fuerte de Penco, a falta de herramientas, «sirviéronle al mancebo en esta parte / sus argentadas fuentes de bateas / para sacar la tierra de la cava: / ¡tan poco la cudicia le empachaba!» (AD, 148).

Este caso no es obra de la fantasía de Oña, como pudiera creerse, ni de Mariño de Lobera que también lo refiere en su *Crónica* (p. 200). Lo habían dicho en Lima el 24 de mayo de 1561 los testigos que don García presentó en su probanza de servicios. Esteban de Rojas, por ejemplo, declaró que vió que don García «por no haber con qué poder sacar la tierra de las cavas, mandó traer unos platos grandes de plata, de su servicio, con qué se sacase».[12]

12 «Probanza de los méritos y servicios de don García de Mendoza y Manrique», Lima, 7 de mayo de 1561, en Medina, *Colección*, XXVII, 182.

En su vida privada don García era de una conducta intachable. Siempre trataba de evitar las tentaciones de los deleites sensuales. Por esto no quiso detenerse mucho tiempo en la Serena, «dulce estanza» (AD,116) y prefirió seguir hacia Penco, lugar que entonces estaba yermo y desolado (AD,114). Por la misma razón se negó a pasar por la ciudad de Santiago, «albergue de holgazanes y baldíos, / adonde el vicio a sus anchuras mora» (AD, 117).

Oña pondera tanto las virtudes de don García que llega al extremo de considerarlo como un santo: «Mas, ¡oh sublime garza sant García! / que es nombre con que el bárbaro os honora, / y bien os cuadra y viene desde agora, / si en la virtud está la nombradía» (AD, 34). Los dos primeros versos de esta cita se basan en Mariño de Lobera, el cual había dicho que los indios miraban a don García «como a su oráculo y que lo llamaban San García» (*Crónica*, 238). No tan santo lo consideraban sus enemigos. En las acusaciones que le hicieron en la residencia que se le tomó al dejar el gobierno de Chile, cargo 151, decían: «Item, se le hace cargo al dicho don García de Mendoza que era tan amigo de saraos y regocijos, que trataba que se hiciesen en su casa y que fuesen a ella las mujeres de los vecinos de la ciudad donde él residía, e hacía que se fuesen sus maridos y él se quedaba con ellas banqueteando y a solas con sus criados, y con el gran poder y mando que tenía el dicho don García, no lo podían remediar».[13] A lo cual el juez de residencia sentenció: «Item, en cuanto al cargo ciento e cincuenta e uno, que es sobre los saraos y regocijos y banquetes del dicho don García, le pongo culpa».[14]

---

13 «Testimonio de los cargos que se hicieron a don García de Mendoza, gobernador de Chile, en la residencia que le tomó el licenciado Juan de Herrera», en Medina, *Colección*, XXVIII, 405.

14 «Sentencia que pronunció el licenciado Juan de Herrera, juez de residencia, contra don García de Mendoza», 10 de febrero de 1562, en Medina, *Colección*, XXVIII, 433.

El justo medio de su conducta lo presenta Góngora Marmolejo, el cual dice que don García era «honesto en su vivir, porque para la edad que tenía nunca se le sintió flaqueza en vicio de mujeres: era amigo de visitar pocas, y no tan de ordinario que se le echase de ver».[15]

2. *Personajes españoles*

En la expedición a Chile contra los araucanos, incluyendo a don García, figuran 112 personajes españoles, de los cuales, 66 aparecen en *La Araucana*. Cada uno de ellos, directa o indirectamente, sirve para realzar la personalidad y las obras del protagonista. Sus cualidades esenciales son las de los buenos soldados: fuertes, valientes y muy hábiles para combatir.

Por estas cualidades, el personaje que más se destaca es don Felipe de Mendoza, hermano de don García (AD, 436). Don Felipe combatió como un jayán en la batalla de Penco y en la de Biobío. En la de Penco, por ejemplo, además de haberse batido cuerpo a cuerpo con Tucapel (AD, 188-191), él «solo a más de mil quitó las vidas» (AD, 451).

Ercilla también le da prominencia a don Felipe en la batalla de Penco, al nombrarlo en primer lugar entre los que «a pura fuerza y valerosa espada» (LA, 321) resistieron el asalto de un numeroso grupo de indios. Don Felipe, por su parte, le correspondió a Ercilla con un soneto laudatorio, publicado entre los preliminares de la segunda parte de *La Araucana* (Madrid, 1578).

Oña, al describir la revista de Penco, le dedica dos octavas a don Felipe de Mendoza, de las cuales la primera es la siguiente:

---

15 Góngora Marmolejo, *Historia de Chile*, 91.

Fertilizando aquella estéril playa
Con bello garbo y término elegante,
Gentil de cuerpo, grato en el semblante,
Se muestra don Felipe haciendo raya;
Podrá tener al cielo sin que caya
Cuando se cansen Hércules y Atlante,
Y aun es ligera carga la celeste,
Si la han de sustentar los hombres déste. (AD, 321)

Los demás capitanes de don García, aparte de ser valientes guerreros, desempeñan un papel muy descolorido. Los principales son los siguientes: Julián de Bastidas, Diego Cano, don Alonso de Ercilla, don Pedro Mariño de Lobera, Juan Ramón, Alonso de Reinoso, don Simón Pereira, don Luis de Toledo, don Miguel de Velasco, etc. Veamos, por ejemplo, el rol que desempeña Ercilla, ya que en poco se diferencia de sus compañeros.

En la batalla de Penco, Ercilla figura entre los más valientes, «haciendo por la espada / aun más de lo que dijo con la pluma» (AD, 207). En la de Biobío, Oña lo menciona entre los cuatro españoles que contribuyeron a la derrota y prisión de Galbarino, en los momentos en que éste hacía más daño en los indios amigos, es decir, los que se habían sometido a los españoles y en la guerra peleaban a su lado:

Mas, visto lo que pasa, tres varones,
Con el divino autor de *La Araucana*
Queriendo refrenar su furia insana
Batieron contra el indio los talones,
Y danle tan terribles encontrones,
Que a su pesar el bárbaro se hallana,
Poniendo las espaldas con el suelo
Y las curtidas plantas en el cielo. (AD, 409)

En la revista de Penco, Ercilla es el noveno de los 600 guerreros que desfilan ante don García:

Al celebrado Zúñiga de Ercila,
Eterna y dulce voz del araucano,
Por cuya fértil pluma y fértil mano
Castálido licor Apolo estila,
Gozó de ver aquí la mar tranquila
Airoso, vistosísimo, galano,
Con plumas, martinetes, con airones,
Trencilla, banda, cintas y listones. (AD, 324)

En cuanto a los soldados de don García, no hay ninguno que añada nada nuevo. Por esto nos limitaremos sólo a mencionar algunos nombres: Andrea, Martín de Elvira, Hernán Guillén, etc.

Diremos finalmente que son auténticamente históricos todos los personajes españoles que tuvieron alguna importancia en la jornada de Arauco. Sus antecedentes biográficos han sido minuciosamente estudiados por los investigadores chilenos, especialmente por Medina, en las notas de su edición del *Arauco domado*, y por Thayer Ojeda.[16]

Pasamos ahora a discutir brevemente los personajes que tomaron parte en la expedición pacificadora de Quito, despachada de Lima cuando don García era virrey del Perú. El personaje principal de esta expedición es el general Pedro de Arana. De los antecedentes biográficos de Arana, lo único que sabemos es que era un antiguo militar español de origen vizcaíno (AD, 570). Oña lo caracteriza en los términos siguientes:

Hallóse de caudal para este efeto
Un hombre sustancial, por nombre Arana,
Varón de vida siempre limpia y sana,
De hecho y dicho en público y secreto;

16 Tomás Thayer Ojeda, «Arauco domado del licenciado Pedro de Oña», en *Ensayo crítico sobre algunas obras históricas utilizables para el estudio de la conquista de Chile*, Santiago de Chile, Imp. Barcelona, 1917, p. 407-463.

Persona dondequiera de respeto,
De condición entre áspera y humana,
Envejecido en años y prudencia
Doctor con borla blanca de experiencia. (AD, 523)

Tan pronto como llegó al Ecuador, el general Arana puso en juego toda su astucia para tomar la ciudad de Quito sin tener que combatir. Al cabo de una serie de maniobras logró desorganizar a los rebeldes y entró en la ciudad sin que nadie le opusiera resistencia. Una vez en Quito, Arana se constituyó en supremo juez. Sin que mediara proceso alguno, condenó a muerte a todos los que creía culpables de la rebelión, haciéndoles ahorcar de noche: «Pues en la muda ausencia del sol claro, / en otra cosa apenas entendía / que en adornar los altos corredores / con estirados cuerpos de traidores» (AD, 571). Terminada su misión, en 1594 Arana regresó al Perú, donde don García «le recibió muy bien y dióle seis mil pesos de renta por dos vidas; empero, como era muy viejo, gozólos poco: dentro de breves meses murió».[17]

Entre los caudillos que se unieron a las fuerzas del general Arana durante su viaje a Quito, figura el capitán Lorenzo Fernández de Heredia, corregidor de Loja y Zamora (AD, 551). Fernández de Heredia había nacido en el Perú y era hijo del «maese de campo Gonzalo Fernández de Heredia, de la casa del Conde de Fuentes» (AD, 552).

Oña dedica mucho más espacio al elogio del capitán Fernández de Heredia que al del general Arana. Su propósito es presentarlo como un modelo de lealtad y generosidad para con el Rey. Dice que de los ciento treinta soldados que llevaba, ochenta iban pagados a su costa (AD, 553) y que para sacar de apuros financieros al general Arana, le prestó dos mil ducados (AD, 555).

---

17 Reginaldo de Lizárraga, *Descripción breve de toda la tierra del Perú, Tucumán, Río de la Plata y Chile*, [MS, ca. 1605], «Historiadores de Indias», II, ed. M. Serrano y Sanz, Madrid, 1909 (N.B.A.E., 15), p. 623. col. 1.

En contraste con el noble carácter del capitán Fernández de Heredia, Oña presenta a Alonso de Bellido (AD, 517), prototipo del hombre desleal y traidor: «Pues fué su condición y culpa enorme / a la del zamorano tan conforme» (AD, 518). Alonso de Bellido era el alma de la rebelión de Quito, uno de sus caudillos más conspicuos y el maese de campo de las fuerzas revolucionarias. Según Oña, Bellido no era natural de Quito, ni tenía allí miembro alguno de su familia (AD, 518). González Suárez añade que había nacido en Colombia, que su nombre completo era Alonso Moreno Bellido, que era procurador de la ciudad de Quito, y que «como tal, tenía voz y voto en el Cabildo».[18] Bellido murió asesinado: «Arana daba el orden de matalle / en una noche lóbrega y secreta, / haciendo disparalle una escopeta / al tiempo del pasar por cierta calle» (AD, 541).

El personaje principal de la expedición naval contra el pirata Richarte Aquines, es don Beltrán de Castro y de la Cueva, «hijo del gran señor Conde de Lemos» (AD, 634) y cuñado de don García. Su nombramiento de general de la escuadra española «a todos fué de gusto» (AD, 636), porque cuando apenas tenía 22 años de edad ya había dado muestras de su talento militar en la guerra del Final, en Italia, donde se distinguió a la cabeza de «veinte mil guerreros» (AD, 635).

Estos datos biográficos de don Beltrán que da Oña, se basan en Balaguer de Salcedo.[19] Suárez de Figueroa los confirma y completa: «Hallóse [don Beltrán] en el estado de Milán, en tiempo que ... le gobernaba su tío el

18 Federico González Suárez, *Historia general de la República del Ecuador*, Quito, Imp. del Clero, III (1892), 206.

19 Balaguer de Salcedo, *Relación de lo sucedido*, ... fol. 1r.

Duque de Alburquerque, don Gabriel de la Cueva, que ... le nombró por caudillo del ejército enviado por orden de su Majestad a la toma del Final».[20]

En el desempeño de su nueva empresa, desde que salió del Callao hasta que se encontró frente a frente con Richarte, don Beltrán de Castro estuvo siempre a la altura de la confianza que en su valor y en su talento de general se había depositado. Por ejemplo, en lo más reñido de la batalla lo vemos que «solícito a su bando solicita, / al falto ya de espíritu conorta, / al sin sazón colérico reporta, / al que parece inhábil habilita» (AD, 682).

El protagonista de los adversarios de la expedición de don Beltrán, y el único que se menciona, es Richarte Aquines. Este es el nombre castellanizado de Sir Richard Hawkins (1560-1622), natural de Plymouth, descendiente de una distinguida familia inglesa.[21]

He aquí el retrato que Oña hace de Richarte:

> Así el audaz pirata se decía,
> Y Aquines por blasón, de clara gente,
> Mozo, gallardo, próspero, valiente,
> De proceder hidalgo en cuanto hacía,
> Y acá, según moral filosofía,
> Dejado lo que allá su ley consiente,
> Afable, generoso, noble, humano,
> No crudo, riguroso ni tirano. (AD, 623)

Además de esta caracterización tan elogiosa, Oña cuenta que Richarte, en uno de los momentos más críticos del combate, a fin de quebrantar el ánimo de los españoles,

---

20 Suárez de Figueroa, *Hechos de don García*, 135.

21 James A. Williamson, «Introduction», en *The Observations of Sir Richard Hawkins*. Edited from the Text of 1622 with Introduction, Notes and Appendices by James A. Williamson ... London, The Argonaut Press, 1933, p. XLI.

«él mismo por las suyas le echa mano, / valiéndose de un lazo, al estandarte» (AD, 678). Fracasó en su intento gracias a la diligencia de los que lo defendían. Como consecuencia de su audacia, Richarte recibió dos heridas graves, una en el cuello y otra en un brazo (AD, 679). Sin embargo, no desmayó. Siguió luchando con más furia que nunca y alentando a sus compañeros: «Entre su gente, encima de cubierta, / a los contrarios tiros descubierto, / y de su misma sangre ya cubierto, / los mueve, los anima, los despierta» (AD, 681).

3. Personajes araucanos

En el *Arauco domado* figuran 73 personajes araucanos, de los cuales, 27 aparecen en *La Araucana*. De los 73, nueve son mujeres. Trataremos primero de los hombres, que suman 64. En general, los araucanos se caracterizan por ser grandes y musculosos; valientes y arrogantes; monógamos y tiernos amantes, en su vida privada. Son las mismas cualidades que les atribuye Ercilla.

Los que más se destacan son diez: Cadeguala, Caupolicán, Galbarino, Gracolano, Leucotón, Molchén, Orompello, Rengo, Talguén y Tucapel. Todos, con la excepción de Cadeguala y Molchén, que fueron inventados por Oña, aparecen entre los personajes principales de *La Araucana*.

Limitaremos nuestro estudio a los tres que tienen mayor significación en el *Arauco domado* y en *La Araucana:* Caupolicán, Tucapel y Galbarino.

Caupolicán, general de los araucanos, era de «espalda y pechos anchos, muslo grueso, / proporcionada carne y fuerte hueso» (AD,172). En su vida privada, Caupolicán es como uno de tantos personajes de la novela pastoril. En la fuente de Elicura, por ejemplo, le canta a Fresia, su mujer, recordándole sus desdenes y las dificultades que tuvo para conquistar el «muro inexpugnable» (AD, 170) de su pecho. El Caupolicán creado por Ercilla no tiene nada de sentimental. Por lo que respecta a su vida pública, el general Caupolicán era un hombre de pocas palabras, que sabía dar órdenes precisas y hacerse obedecer con entusiasmo por los araucanos: «Porque para mover sus corazones / resobra que le miren a la cara» (AD, 180).

En el asalto al fuerte de Penco, Caupolicán fué uno de los últimos en entrar en combate. Lo había hecho como de propósito, dice Oña, «para que a su valor sólo se diera» (AD, 233) la gloria del triunfo, que consideraba seguro. Iba sin más protección que una celada de acero, un grueso coselete que le cubría del hombro a la cintura y una robusta maza de roble. Así, pues avanzaba Caupolicán, cubierto de polvo y de sudor, «ensordesciendo a golpes los oídos» (AD, 232). Pronto llegó a la plaza del fuerte, donde empezó a hacer estragos entre los españoles.

Al ver esto don García, «que semejante agravio no consiente» (AD, 234), se lanza contra él, y sin darle tiempo para que levante la maza, le sume la espada por un costado hasta la guarnición y le da con el escudo un fuerte golpe en la boca, echándolo de espaldas al borde de la trinchera. Caupolicán trató de levantarse, pero al hacerlo cayó de cabeza en el foso, y allí quedó «sin sentido» (AD, 235). De esta manera elimina Oña al general de los araucanos, pues desde entonces no vuelve a figurar en el *Arauco domado*. En *La Araucana*, Caupolicán no toma parte en la batalla de Penco.

Uno de los primeros en romper el ataque al fuerte de Penco y el que más se distinguió en la batalla, fué «el bravo Tucapelo» (AD,186). Arrogante, soberbio y orgulloso, Tucapel peleaba con tal fiereza que su brazo parecía movido por un espíritu infernal: «Triste del español a quien su maza / en descubierto diere algún alcance» (AD, 209).

Cuando los araucanos perdieron las esperanzas de ganar la batalla y decidieron retirarse, Tucapel fué el único que se quedó combatiendo dentro del muro. Lleno de heridas, cubierto de sangre y «con solamente media maza» (AD, 239), se defiende y ataca como un toro acorralado. Por fin, al ver que sus esfuerzos ya eran inútiles, quiere emprender la retirada. Como le han cerrado el paso, se va hacia lo más empinado de la cuesta, donde tiene «de veinte y dos estados para arriba» (AD, 240), y dando un tremendo salto, sale del fuerte, acribillado a balazos.

Furioso Tucapel porque los españoles le continuaban disparando, quiere volver a la plaza para reanudar la lucha. Trata de subir la cuesta, pero le es imposible. Se dirige entonces contra la gente de las naves, «queriendo emplear en ella su coraje» (AD, 241). Al ver que sus compañeros huían de allí también, se apartó de ellos y se metió por el bosque, donde pronto cayó al pie de un roble (AD, 241).

Oña conserva la personalidad de Tucapel con las mismas características que tiene en *La Araucana*. Lo hace para realzar las cualidades de valor, fuerza y destreza de don Felipe de Mendoza, con quien Tucapel sostuvo en Penco uno de los más reñidos combates (AD, 188-191). Ercilla no menciona tal combate, a pesar de que dedica diez y ocho octavas a cantar las hazañas de Tucapel en esa misma batalla (LA, 317-318; 321-322, y 324-327).

En la batalla de Biobío, uno de los indios que pelearon con más fiereza fué «aquel enorme y duro Galbarino» (AD, 407). Cuando los araucanos se retiraban en derrota, él se quedó solo peleando en el llano, «tan fiero, espumajoso y emperrado, / que es cuerdo quien procura dalle lado» (AD, 408). Por fin cayó prisionero. Llevado al campamento español, fué sentenciado a que se le cortasen ambas manos «para terror y ejemplo al enemigo» (AD, 419). Cuando llegó el momento de ejecutar la sentencia, Galbarino puso sucesivamente encima del tablón, la mano derecha y la izquierda. En seguida, sin dar la menor muestra de dolor, ofreció la cabeza para que también se la cortaran, «diciendo: Dadme aquí tercer herida; / veremos si a las tres va la vencida» (AD, 421). Al ver que los españoles no se la querían cortar, Galbarino les dijo muchas «bravezas» (AD, 422), y jurándoles que pronto volvería a vengarse de ellos, se fué furioso, «mirándose los troncos desangrados, / que casi va comiéndose a bocados» (AD, 423).

La mutilación de Galbarino es un hecho histórico que pesaba sobre la conciencia del héroe del *Arauco domado*, pues fué don García el que le mandó cortar las manos, según lo prueban los cronistas de la conquista. Por ejemplo, en Góngora Marmolejo se lee: «Unos corredores le trajeron a don García un indio, al cual mandó que le cortasen las manos por las muñecas: ansí castigado lo envió a donde los señores principales estaban, y que les dijese si le venían a servir les guardaría la paz, y si no lo querían hacer que a todos había de poner de aquella manera» (*Historia de Chile*, 75).

Oña salió a la defensa de don García, y para justificar su acción le cambió a Galbarino el carácter que tiene en *La Araucana*, donde figura como uno de los personajes más simpáticos e interesantes. Oña dice que poco antes del comienzo de la batalla de Biobío, Galbarino le dió muerte a traición al soldado español Hernán Guillén, y que por lo tanto su castigo fué bien merecido. Como si esto no bastara para denigrarlo, traza su retrato en los términos siguientes:

Era este Galbarín de mal respeto,
De mala inclinación, enorme y crudo,
Así para lo bueno torpe y rudo,
Como en lo malo plático y discreto;

De quien jamás se tuvo buen conceto,
Doblado, contumaz y cabezudo,
Soberbio en condición, humilde en casta,
Y a todo bien ingrato, que esto basta. (AD, 362)

Entre los personajes araucanos que desempeñan un papel secundario se destaca Pillalonco, decano de los magos que aparecen en el canto segundo: «Un viejo descarnado formidable, / de cuerpo retorcido como un cable, / ramificado más que el pie de un tronco» (AD, 87). Pillalonco era un indio muy docto, especialmente en conocimientos de astronomía y astrología. Mediante la observación del movimiento de los astros podía predecir con certeza las cosas futuras. En sus rasgos generales, Pillalonco es en el *Arauco domado* lo que el mágico Fitón en *La Araucana*, canto XXIII.

La gran mayoría de los araucanos que nombra Oña son incidentales. Los creó para demostrar el valor y la fuerza de algún personaje principal, español o araucano. Por ejemplo, en la batalla de Penco don García mata o hiere con mucha facilidad a Pínguedo, Longo, Copil y Crin. (AD, 199). Otro tanto hace Galbarino en la de Biobío con Quiracolla, Lleuto, Chul y Rulco (AD, 408).

Finalmente diremos que son personajes literarios todos los indios que se mencionan en el *Arauco domado*, pues aunque muchos de ellos figuran en *La Araucana*, nadie ha probado que en realidad hayan existido.

En el *Arauco domado* figuran nueve personajes femeninos. Principales: Fresia, mujer de Caupolicán; Gualeva, mujer de Tucapel; y Quidora, mujer de Talguén. Secundarias: Chabraquira, mujer de Guemapu, y Llarea, su hija. Mencionadas: Glaroa, madre de Molchén; Guacolda, viuda de Lautaro; Llámoca, madre de Talguén, y Millaura, pretendida por Rengo. De las nueve, en *La Araucana* aparecen: Fresia, Guacolda y Millaura.

Las tres mujeres principales, Fresia, Gualeva y Quidora se caracterizan por su extremada belleza, por la ternura de sus sentimientos y por su fidelidad conyugal. Al describir sus cualidades, Oña no estaba pensando en las indias de Arauco sino en las ninfas de la mitología y en las heroínas de la novela pastoril. Son, pues, personajes puramente literarios. Veamos, por ejemplo, a Fresia.

Fresia aparece en el *Arauco domado* por primera y única vez en la fuente del valle de Elicura, recreándose con su marido. Se muestra tan tierna y enamorada de Caupolicán, su «dueño amado» (AD, 171), como si estuviera gozando de una perfecta luna de miel. Su felicidad es tan grande que le asalta el temor de que de un momento a otro se termine, «pues nunca tras el dulce y tierno estado / se deja de seguir el agro y duro» (AD, 171). Como lo presentía, así ocurrió. La repentina noticia de la llegada de don García al fuerte de Penco obligó a Caupolicán a interrumpir su idilio para acudir al desempeño de sus deberes de general de las fuerzas de Arauco.

El carácter de Fresia en *La Araucana* es todo lo contrario del que tiene en el *Arauco domado*. Ercilla la presenta como una mujer varonil, arrogante y de una crueldad bárbara (LA, 547-548). Refiere, por ejemplo, que cuando Fresia vió a Caupolicán prisionero en el fuerte de Cañete, colérica y rabiosa, después de haberlo tratado de cobarde y afeminado, tomó a su hijo de quince meses que llevaba al pecho y se lo arrojó a los pies, diciéndole que no quería título de madre «del hijo infame del infame padre» (LA, 548).

Oña ha hecho de Fresia una de las mujeres de aspecto más hermoso. Para que apreciemos mejor su belleza, hasta en sus menores detalles, la presenta desnuda como una ninfa en la fuente de Elicura y la describe de la cabeza a los pies:

> Es el cabello liso y ondeado,
> Su frente, cuello y mano son de nieve,
> Su boca de rubí, graciosa y breve,
> La vista garza, el pecho relevado;
> De torno el brazo, el vientre jaspeado,
> Coluna a quien el Paro parias debe,
> Su tierno y albo pie por la verdura
> Al blanco cisne vence en la blancura. (AD, 173)

La hermosura de esta mujer no corresponde a ninguna de las de *La Araucana.* Por ejemplo, Ercilla no dice nada sobre el aspecto físico de Fresia. La mujer más bella de las creadas por Ercilla es Glaura, esposa de Cariolán. He aquí su retrato:

> Era mochacha grande, bien formada,
> De frente alegre y ojos extremados,
> Nariz perfecta, boca colorada,
> Los dientes en coral fino engastados
> Espaciosa de pecho y relevada,
> Hermosas manos, brazos bien sacados,
> Acrecentando más su hermosura
> Un natural donaire y apostura. (LA, 454)

Se observa en primer lugar que Oña pone mucho énfasis en la blancura del cuerpo de Fresia y que Ercilla no dice de qué color era el de Glaura. Oña dedica dos versos al «tierno y albo pie» (AD, 173) de Fresia; Ercilla no menciona los pies de Glaura, etc. Parece que Oña al crear la belleza de Fresia tuvo presente a Camila, cuyo color blanco Garcilaso pone de relieve hasta en los pies. [22]

---

22 Garcilaso de la Vega, *Obras*, 3.ª ed., corregida. Edición y notas de T. Navarro Tomás, Madrid, Espasa-Calpe, 1935, «Clásicos castellanos», 3, Égloga II, p. 28 y 68. Cf. Rodolfo Oroz, «Introducción», en su ed. de *El Vasauro*, p. XXXIV, nota 1.

Los cinco personajes sobrenaturales que figuran en el *Arauco domado* son: Plutón, «el azufrado Rey del hondo averno» (AD, 150); Caronte, «el sórdido barquero» (AD, 151); Megera, «furia brava» (AD, 160); Pillán, «espíritu malino» (AD, 71), dios de los araucanos a quien también llaman Eponamón (AD, 82); y la sombra de Lautaro, que se le aparece a Talguén después de la batalla de Penco (AD, 458). En el cap. VII trataremos en detalle sobre estos personajes.

IV

LOS HECHOS HISTORICOS

1. La expedición a Chile contra los araucanos

Como introducción a los hechos históricos que comprende la expedición a Chile contra los araucanos, Oña hace un breve resumen del estado en que se hallaba el país antes de que don García fuera nombrado gobernador. Refiere la ansiedad que afligía a los españoles con motivo del alzamiento de los araucanos, la derrota y muerte de Valdivia, la discordia que había entre Aguirre y Villagrán por la sucesión del mando, etc.

«Estando, pues, así mi patrio suelo, / despacha para Lima embajadores» (AD, 45). Cuando los emisarios llegaron ante el Virrey, que entonces era don Andrés Hurtado de Mendoza, segundo Marqués de Cañete, le expusieron brevemente el término en que todo estaba puesto y le pidieron, en conclusión, que los sacara del peligro en que se hallaban «por mano de su propio hijo caro» (AD, 46).

Oídas las razones de los delegados chilenos, el Virrey decidió enviarles «socorro y fuerza de gente, así por mar como por tierra» (AD, 39) a cargo de su hijo don García, que iría en calidad de gobernador y capitán general de Chile, e impartió las órdenes necesarias para que se empezara a preparar la expedición.

Congregada la tropa y hechas todas las prevenciones para la jornada, don García despachó para Chile por la costa de Atacama al capitán Julián de Bastidas con la caballería y «un copioso número de gente» (AD, 55). Ercilla al referir este hecho no indica el nombre del que iba a cargo de la caballería. Se limita a decir que «un caudillo salió luego por tierra» (LA, 219). Según Mariño de Lobera, el Virrey «envió por tierra a don Luis de Toledo con gran suma de caballos, ... llevando consigo a Julián de Bastida[s], que era hombre de muchas prendas, y que amaba tiernamente a su señor [don García], sirviéndole siempre con gran lealtad» (*Crónica*, 192). Se ve, pues, que Oña se basó en Mariño de Lobera y que omitió el nombre de don Luis de Toledo en beneficio de Julián de Bastidas por la lealtad, quizás, con que había servido a don García.

Don García se quedó en Lima con el tercio más granado para hacer el viaje por mar. Cuando todo estuvo aparejado salió de la ciudad en medio de su escuadrón «al són de claras trompas y añafiles» (AD, 57), y se dirigió al Callao, donde lo esperaban «cuatro naves artilladas» (AD, 60). Se embarcó en ellas con la tropa y algunos sacerdotes. Luego se dió la orden de partida: «Y repitiendo el nombre de Cañete, / largó la capitana su trinquete» (AD, 63). Salieron del Callao el dos de febrero de 1557 (Mariño de Lobera, *Crónica*, 195).

En cuanto al número de naves en que se embarcó la expedición, Oña no se basó en Ercilla, quien dice que eran «diez» (LA, 220), sino en Mariño de Lobera, en cuya *Crónica* se lee que «mandó el Marqués aprestar tres navíos de buen porte para los soldados, y un galeón para los bastimentos, artillería y munición» (p. 192). Por lo que respecta a que las cuatro naves estaban «artilladas» (AD, 60), es un dato que no tiene confirmación. Parece que Oña lo añadió para darle más color bélico a la expedición.

Sin que les hubiera ocurrido nada de particular durante la navegación, los expedicionarios llegaron a Chile y fondearon en el puerto de Coquimbo (AD, 95). La llegada tuvo lugar el 23 de abril de 1557. [1] Allí estaban cuando de

1 Barros Arana, *Historia general de Chile*, II, 108, nota 6.

pronto vieron los caballos que les enviaban de la Serena, ciudad que dista dos leguas del puerto: «Vinieron sus vecinos juntamente / a recebir al claro adolescente» (AD, 100).

El detalle de que los vecinos de la Serena fueron a Coquimbo para recibir a don García lo inventó Oña del siguiente pasaje de Mariño de Lobera: «Luego que surgieron sus navíos salió [de la Serena] el general Francisco de Aguirre al recebimiento llevando consigo a don Luis de Toledo, que había ya llegado con los caballos» (*Crónica*, 196). Después de un breve descanso en Coquimbo se marcharon para la Serena.

Una vez en la Serena, los soldados fueron distribuídos entre los habitantes de la ciudad, los cuales los trataron con generosa hospitalidad: «Es tan cumplida gente, honrosa y buena, / que tiene por afrenta y cosa impropia / no ser en su hospedaje el hospedado / todo lo de potencia regalado» (AD, 101).

Tal vez convendría recordar que don García asumió el mando de Chile en la Serena el 25 de abril de 1557. Así consta en el acta de recibimiento oficial por el cabildo de esa ciudad. Este documento se halla incluído en el «Primer libro de actas del cabildo de Santiago, llamado generalmente *Libro becerro*», publicado por Medina en *Colección de historiadores de Chile*, I, 590.

A su llegada a la Serena, don García tuvo conocimiento de que los vecinos encomenderos, violando sacros estatutos, trataban en forma por demás inhumana a los indios que les servían en la explotación de las minas de oro. No sólo no les pagaban por su trabajo, sino que en ellas ocupaban desde los niños de doce años hasta «los viejos tremulosos de noventa» (AD, 102).

Las mujeres, por más que fuesen débiles, eran utilizadas como bestias de carga para llevar los alimentos por cuestas y quebradas en que se rompían los pies, dejando a veces rastros de sangre por donde caminaban con «el enchiguado trigo a las espaldas: / Así cargadas viérades algunas / los encolmados vientres a las bocas, / y fuera deste número, no pocas / con sus recién nacidos en las cunas» (AD, 103). Para remediar tal situación, después de consultar el caso con teólogos y letrados, don García dictó la ordenanza siguiente:

Que para labrar las minas se diese a cada vecino sólo el sesmo de los indios que tuviera en su encomienda; que este sesmo fuera sólo de varones cuya edad no pasase de sesenta años ni llegase a los diez y seis, «guardando al sexo tímido su fuero» (AD, 105); que cada sábado se les pagase a los indios por su trabajo el sesmo del oro que sacasen; que las comidas y sustento que antes cargaban las mujeres, fuesen llevados en bestias a costa del respectivo encomendero; que se diera a los indios comida diaria y abundante, y que para esto se matara una res o más, «tres días en los seis de la semana» (AD, 106).

Para la ejecución de su ordenanza, don García mandó que hubiese alcaldes en las minas y que éstos fueran «hombres de sano, justo y buen intento» (AD, 106). Con esto «quedaron muchos daños prevenidos, / mudadas muchas fieras intenciones, / el indio con su carga moderada, / y el amo su conciencia descargada» (AD, 107).

Ercilla y Mariño de Lobera no dicen nada sobre esta ordenanza. El que don García haya legislado en la Serena para aliviar la situación de los indios es un hecho que se halla comprobado en su «Probanza de méritos y servicios», pregunta diez y seis. Dice allí don García que en la dicha ciudad de la Serena él entendió «en tasar el tributo que los indios de sus términos habían de dar a sus encomenderos». [2]

---

2 «Probanza de los méritos y servicios de don García de Mendoza y Manrique», Lima, 1561, en Medina, *Colección*, XXVII, 9.

Los veinte testigos de don García corroboraron esta afirmación. He aquí lo que declaró uno de ellos, el licenciado Fernando de Santillán, que había sido su teniente de gobernador en Chile y por lo tanto, el que debía redactar la ordenanza: «A las diez y seis preguntas, dijo: ... que este testigo echó unas ordenanzas en la dicha ciudad de la Serena para la orden que se había de tener con los naturales para sacar el oro de las minas y para quitar las cargas y otras cosas».[3]

El texto de estas ordenanzas no ha llegado hasta nosotros. Si Oña lo tuvo a la mano por intermedio de don García, no lo sabemos. De lo que no cabe duda es que los detalles que da Oña siguen muy de cerca la «Relación de lo que el licenciado Fernando de Santillán, oidor de la Audiencia de Lima, proveyó para el buen gobierno, pacificación y defensa del reino de Chile», Valparaíso, 4 de junio de 1559, en Medina, *Colección*, XXVIII, 284-302.

Todos los detalles que da Oña parecen un resumen de esta «Relación». Hay, sin embargo, una diferencia de fondo. Según Oña, la edad de los indios que habían de ser asignados a los encomenderos para el trabajo en las minas, era de diez y seis a sesenta años (AD, 105). El licenciado Santillán dice que para el dicho sesmo «no se haga número de los viejos de cincuenta años arriba, ni de los muchachos de diez y ocho para abajo».[4]

Con el fin de evitar posibles disturbios políticos durante su gobierno, don García decidió desterrar de Chile a Francisco de Aguirre, que estaba en la Serena, y a Francisco de Villagrán, en Santiago (AD, 111). Aguirre y Villagrán habían sido los capitanes más distinguidos de Valdivia. Después de su muerte, ambos se disputaban el derecho a sucederle en el mando. Cuando don García llegó a la Serena, según Oña, estaban a punto de empezar una

3 *Ibid.*, 227.
4 Fernando de Santillán, «Relación», en Medina, *Colección*, XXVIII, 297.

guerra civil. Por esto los mandó tomar presos, y sin que mediara proceso alguno, después de embarcarlos en uno de los navíos que estaban en Coquimbo, los desterró al Perú para que comparecieran ante la Real Audiencia de Lima.

La fuente en que Oña basó el relato de este episodio, que Ercilla no menciona, fué Mariño de Lobera:

> No cuento por menudo todo el caso,
> Aunque lo principal aquí va escrito,
> Porque pararme a todo es infinito,
> Teniendo senda larga y tiempo escaso;
> Fuera de que si en esto voy de paso,
> Es porque en lo que resta me remito
> A lo que agora escribe el de Lobera,
> En general historia verdadera. (AD, 112)

Pues bien, el capitán Pedro Mariño de Lobera añade en su *Crónica del reino de Chile* que el destierro de Aguirre y Villagrán fué ejecutado «por orden que don García traía de su padre» (p. 198).

De esta manera se ocupó don García en la Serena hasta que llegó Julián de Bastidas con los que iban por tierra. Una vez que hubieron descansado durante un mes, don García les mandó que marcharan con los caballos y el bagaje para Penco. Ordenó al mismo tiempo que Juan Ramón, que estaba en Santiago, llevara todos los vecinos que hubiera en esa ciudad, también para Penco. Tomadas estas medidas, empezó a prepararse para continuar su viaje por la vía marítima. Era su plan que tanto los que iban por tierra como los que irían por mar, se juntaran en la bahía de Talcaguano, «que es a Penco junto» (AD, 114).

Don García se embarcó en Coquimbo con los que habían ido con él en las naves y se hizo a la vela cuando «llegada era del tiempo aquella parte / opuesta por dïametro al estío» (AD, 114). Al séptimo día de tranquila navegación, cuando ya estaban a punto de concluir la jornada (AD, 120), el cielo empezó a mancharse de nubecillas negras que en un principio no parecían nada, y en pocas horas quedó completamente oscurecido. Al mismo tiempo se levantó un viento tan fuerte que transformó el manso mar en «promontorios levantados» (AD, 121). Luego se hizo de noche y en la oscuridad los batió un desaforado torbellino que parecía arrancar el mar de cuajo (AD, 122).

El embravecido mar amenazaba estrellar las naves contra las rocas de la costa. La gente estaba atónita y confusa, «la más temblando en pie y arrodillada» (AD, 124). La situación era tan crítica que el piloto y los marineros no sabían qué hacer. Corrían de un lado para otro, atropellando a los pasajeros, y por ayudarse no hacían más que estorbarse. Entretanto, don García rogaba a Dios que si era por causa suya «tan áspero castigo y duro azote» (AD, 133) que no muriera su inocente compañía, que descargara sobre él la furia de su espada (AD, 134).

Mientras don García así rogaba a Dios, un tremendo turbión azotó a su capitana con tal fuerza que rompió la escota del trinquete «con otro grueso cable de la mura» (AD, 134). No paró en esto el golpe del turbión. Con la fuerza de sus azotes dejó sin el fiador al puño del trinquete, el cual, como quedó suelto, pasó velozmente por encima del ancla, se enganchó en ella y «se la llevó arrancada de su asiento» (AD, 134).

De esta manera, el ancla quedó colgada de la vela, y con arrebatado movimiento iba de un lado para otro como si quisiera hacer piezas el navío (AD, 135). Pero luego ocurrió lo inesperado. El ancla, que así era llevada y traída por el viento, de repente se aferró en el bauprés, con lo cual se sosegó la nave. Al ver esto don García, reconociendo que era obra de Dios, levantó el rostro al cielo soberano y deshecho en lágrimas le dió las gracias.

Recuperado el control de la nave, se alejaron de la vecina costa peñascosa y enderezando a orza, volvieron al rumbo que antes llevaban, pero siempre luchando con las ondas (AD, 137). Al amanecer, calmado al fin el mar, llegaron a la bahía de Talcaguano, y antes de que saliera el sol tomaron puerto en una ensenada de la isla de este nombre.

Oña utilizó *La Araucana*, cantos XV-XVI, 253-267, como fuente exclusiva para la descripción de esta tormenta, modificando los hechos para incluir la acción de don García, a quien Ercilla no menciona. Compárese, por ejemplo, lo que ambos poetas dicen cuando se recobró el control de la nave capitana:

Ercilla: La esforzada y contrita compañía,
El rostro al cielo, en lágrimas bañado,
Con oración devota y sacrificio
Dió las gracias a Dios del beneficio. (LA, 266)

Oña: Levanta el rostro al cielo soberano
El General, y en lágrimas deshecho,
Refiere a Dios las gracias deste hecho,
Reconociendo que era de su mano. (AD, 136)

Antes de desembarcar en la isla de Talcaguano, don García ordenó a su gente que trataran bien a los indios y que no les hicieran daño, a menos que se vieran atacados por ellos. Con esta recomendación, los soldados tomaron sus armas, echaron los bateles al agua y saltaron a la playa. Entretanto, los indios que se habían reunido en una ladera de la isla, al verlos desembarcar, bajaron con mano armada a defender su tierra. En la primera arremetida «cayó de un arcabuz un indio muerto» (AD, 138). Esto bastó para que los demás huyeran en desorden.

Ercilla no menciona la orden que según Oña, don García dió a sus soldados al desembarcar. Oña se basó en

Mariño de Lobera, el cual dice que don García «mandó, so graves penas, que ninguno entrase en las casas de los indios, ni les tomase nada, ni hiciera algún otro género de agravio, como hasta allí se había usado» (*Crónica*, 199). El hecho de que los indios huyeran al ver que uno de sus compañeros caía muerto, parece invención de Oña, pues no hubo tal encuentro armado. Según Ercilla, los indios huyeron al ver caer un rayo, lo cual era pronóstico «de su ruïna, y venideros males» (LA, 269).

Los españoles sacaron la artillería de las naves y después de haberla colocado en un buen sitio, don García hizo que la dispararan al aire para atemorizar a los indios. Cuando éstos vieron que los españoles llegaban de manera tan belicosa, en góndolas y balsas abandonaron la isla, «dejando soterrada la comida» (AD, 139). El que los indios dejaran soterrada la comida debió ser también invención de Oña. Ercilla cuenta que se la llevaron al huir de la isla: «El patrio nido al fin desampararon, / y con mujeres, hijos y comidas, / por secretos caminos y senderos / se escaparon en balsas y maderos» (LA, 269).

Algunos indios, sin embargo, se quedaron en sus chozas. Los españoles se acercaron a ellos, y tratándolos amigablemente, lograron llevarlos ante don García, el cual «les dió comida, ropa y otros dones» (AD, 140), y les pronunció un breve discurso. En este discurso, don García les dijo a los indios que el único fin que llevaba era conseguir que se hicieran cristianos y que se sometieran a la autoridad de Felipe II, que era el monarca universal. Les hizo ver al mismo tiempo el provecho que con ello recibirían y los daños que les traería la guerra si oponían resistencia. Les dijo, además, que en nombre del Rey les perdonaba que hubieran tomado las armas en contra de los cristianos, pero con la condición de que no lo volvieran a hacer. Añadió por fin, que si no aceptaban sus términos de paz, se les haría la guerra a sangre y fuego (AD, 140). Terminado su discurso, los dejó en libertad. Los indios se fueron contentos con los regalos y aparentemente conformes con lo que les había dicho (AD, 141).

Este discurso no figura en *La Araucana* ni en la *Crónica* de Mariño de Lobera. El razonamiento que Oña pone en boca de don García es una ampliación de lo que, según Ercilla, los soldados les decían a los indios para atraerse su voluntad (LA, 269-270).

Los españoles quedaron, pues, dueños de la situación y de la isla. Inmediatamente empezaron a levantar sus tiendas de campaña con los útiles que llevaban y el poco material que allí encontraron (AD, 141). Todo era actividad y alegría en el campamento. Unos sacaban los aparejos de las naves, otros iban por materiales de construcción, otros hacían de albañiles, otros encendían fuego, otros tostaban el trigo, otros confitaban el maíz, etc.

Todo este entusiasmo y alegría duró poco. Era el crudo invierno de la parte central de Chile y se hallaban en la isla de Talcaguano que no es más que un peladero desolado (AD, 143). Los españoles tenían que alimentarse con el poco matalotaje que habían logrado salvar de la tormenta. Por esto su comida era «malsana, malsabrosa y bien escasa» (AD, 144). Para engañar el tiempo mientras llegaban los que iban por tierra, don García ocupaba y entretenía a su gente en ejercicios militares (AD, 145). Oña es el único que menciona el hecho de que don García ocupaba y entretenía a sus soldados de esta manera.

Dos meses hacía que estaban en la isla de Talcaguano, pasando hambre y sufriendo las inclemencias del tiempo, cuando don García, viendo lo mucho que se tardaba la caballería y la rapidez con que le iba faltando bastimento, determinó pasar a tierra firme (AD, 145). Pensaba que de esta manera podría ayudar a los que iban por tierra en caso de que fueran atacados por los indios. Pero sobre todo le interesaba averiguar qué planes trazaban los araucanos. Con este propósito, al amparo de una cerrada noche oscura se embarcó con ciento ochenta soldados, cruzaron la bahía de Talcaguano y desembarcaron al amanecer «en el riñón y fuerza de la guerra» (AD, 146).

¿Cuánto tiempo permanecieron en la isla? Oña, como hemos visto, dice que «dos meses» (AD, 145); Ercilla, «más de dos meses» (LA, 285); y don García, «más de dos meses».[5] ¿Con cuántos soldados pasó don García a tierra firme? Oña nos ha dicho que con «ciento y ochenta» (AD, 146). Ercilla, que se contaba entre ellos, repite tres veces que eran «ciento y treinta» (LA, 285, 286 y 287). Pero don García que era el general de la expedición afirma que «con mucho esfuerzo y valor saltó en tierra firme con los dichos ciento e cincuenta españoles».[6]

Tan pronto como don García y sus soldados saltaron a tierra firme en Penco, empezaron a buscar un sitio donde alzar un muro. Pronto lo hallaron sobre una loma, en cuya cumbre «se forma una tendida mesa llana» (AD, 147). Esta tendida mesa llana era muy a propósito para lo que deseaban. Por una parte estaba resguardada por la profundidad del mar y por otra, el ser altísima y peinada la tenía bien protegida. En la parte que estaba mal segura, iban a construir un foso y albarrada, «de terraplén tupida por de dentro, / que pueda rebatir un duro encuentro» (AD, 148).

Antes de que saliera el sol ya habían puesto manos a la obra. Don García no se daba un momento de reposo. Andaba por todas partes animando a su gente y trabajando con ellos. Fué allí donde a falta de herramientas, don

---

5 «Relación enviada por don García de Mendoza de lo que hizo para recuperar la provincia de Chile», 1559 [sin lugar ni mes], en Medina, *Colección,* XXVIII, 308.

6 «Probanza de los méritos y servicios de don García» . . . , en Medina, *Colección,* XXVII, 10.

García usó sus argentadas fuentes como bateas para sacar la tierra de la cava (AD, 148). Tanta fué la prisa que se dieron en la construcción del fuerte, que ese mismo día lo terminaron y arbolaron la bandera española. Al mismo tiempo, don García hizo plantar seis piezas de campaña en los puntos más estratégicos. Hecho esto, se recogió con su gente en el muro para esperar a los que iban por tierra con los caballos (AD, 149).

El uso que hizo don García de sus argentadas fuentes en la construcción del muro de Penco, ya queda discutido en el capítulo tercero, página 91. En cuanto a las piezas de campaña, según Ercilla, eran «ocho» (LA, 286) y no «seis» como afirma Oña con insistencia (AD, 149, 182 y 237). Oña tomó este dato de Mariño de Lobera: «Plugo al señor que don García tuviese prevenidas de la noche antes seis piezas de campaña asestadas hacia la parte por donde vinieron los indios» (*Crónica*, 200).

Cuando el general Caupolicán tuvo noticias de que los españoles habían pasado a tierra firme y que se estaban fortificando, empezó a reunir gente. A los pocos días, una mañana al rayar el alba, veinte mil araucanos divididos en tres gruesos escuadrones y en medio de espantosa gritería se lanzaron contra el fuerte. Ercilla no indica cuántos eran estos indios. El número de veinte mil que da Oña, se basa en Mariño de Lobera, en cuya *Crónica* dice que una mañana los españoles «se hallaron... cercados por todas partes de un ejército de veinte mil indios, que venían braveando y blandiendo las lanzas con tantos alaridos y estrépito, que parecían cien mil» (p. 200).

Don García, que todo lo tenía prevenido, al oír los alaridos, se asomó por encima de la trinchera. En ese momento le lanzaron del campo enemigo una redonda piedra, que dirigida a la cabeza «con más furor que el rayo impetuoso» (AD, 183), le dió en la celada y lo derribó aturdido. Apenas cayó, don García «se enderezó brotando vivo fuego» (AD, 183), y animando a su gente con la palabra y el ejemplo, se dió comienzo a la batalla de Penco.

El incidente de la pedrada que recibió don García lo basó Oña en un pasaje de la *Crónica* de Mariño de Lobera, que dice así: «Y asomándose el gobernador a ver este espectáculo por encima de la trinchera, le dieron una pedrada con una honda que venía zumbando como si fuera bala de escopeta, y le alcanzó en la sien y oreja sobre la celada; y era tal la furia con que venía, que dió con él de la trinchera abajo» (p. 200). Aunque no es nuestro propósito analizar la procedencia de las fuentes que utilizó Oña, diremos que este incidente es ficticio. Mariño de Lobera lo inventó utilizando un pasaje de *La Araucana* que se refiere al indio Gracolano, pasaje que parece suponer también un hecho literario (LA, 314).

La gente que estaba en las naves al oír el estruendo de la batalla en el muro, armándose con lo que encontraron más a mano, desembarcaron en el acto para acudir en auxilio de sus compañeros. Apenas habían salido a la playa cuando se vieron atacados por un escuadrón de indios que les impidieron el paso (AD, 225). En el fuerte, entretanto, a pesar de la tenaz resistencia de sus defensores, los atacantes habían llegado hasta la misma plaza. Las armas de fuego de los españoles hacían grandes bajas en las filas de los araucanos. Estos, sin embargo, no cedían un paso, pues cada escuadrón que sucumbía era reemplazado por otro (AD, 236).

En lo más reñido del combate se les acabó la pólvora a los españoles. Pidieron auxilio a la gente de las naves, pero como la marina se hallaba cubierta de enemigos, ninguno se atrevió a llevarlo. En vista de esto, el padre Bonifacio, «un clérigo animoso y esforzado» (AD, 236) que estaba en uno de los barcos más próximos a la playa, tomó dos botijas de pólvora, subió en un pequeño esquije, desembarcó en la ribera, pasó por entre los indios sin ser molestado y entró con las vasijas en el fuerte (AD, 237).

Nuestros esfuerzos para hallar las fuentes del episodio del padre Bonifacio han resultado estériles. Oña es el único que lo refiere. Es de suponer que se trata de un hecho puramente literario, enderezado a realzar la obra del clero en la Conquista. Si tuviera base histórica ¿cómo es posible que nadie mencione la acción que según Oña, salvó la vida del gobernador de Chile y de sus ciento ochenta soldados?

Con la pólvora que llevó el padre Bonifacio al fuerte se reanudó la batalla con gran ferocidad. Los estragos que hacía la artillería eran de tal magnitud que por fin los araucanos desesperaron del triunfo y poco a poco empezaron a batirse en retirada, proporcionando a los españoles su primera victoria (AD, 238).

La batalla duró desde el amanecer (AD, 181) hasta el mediodía (AD, 290). En ella murieron más de seiscientos araucanos. Los españoles no tuvieron muertos, pero quedaron muy cansados y «muchos con muchísimas heridas» (AD, 288). La falta de caballos les impidió perseguir a los enemigos. Por esto don García se limitó a ordenar que se atendiera a los heridos, que se limpiara el foso de cadáveres y que se reparara el muro en los sitios que había quedado más débil (AD, 289). Cuando llegó la noche, hizo colocar centinelas en los puntos de mayor peligro, quedándose él mismo en vela para vigilarlos (AD, 291).

Ercilla no indica cuántos indios perecieron en la batalla. El número de seiscientos que da Oña, lo obtuvo de Mariño de Lobera, el cual dice que los enemigos se fueron «dejando muertos seiscientos hombres» (*Crónica*, 202).

A la mañana siguiente, don García reunió a sus soldados y les pronunció un discurso. En él, después de elogiarlos por su valor, les advirtió que debían estar siempre alerta, porque el enemigo podía volver de un momento a otro. Les pidió que hicieran la guerra sólo con el propósito de implantar en el país «la fe que en nuestras almas Dios ha puesto» (AD, 299); que no mancharan con sangre la victoria dando rienda suelta al furor y que en todo caso trataran con clemencia a los vencidos. Mariño de Lobera, de quien Oña toma este discurso, dice que don García lo pronunció el mismo día de la batalla, antes del encuentro de los indios con la gente de las naves (*Crónica*, 201). Ercilla no lo menciona.

Pocos días después de la batalla de Penco llegó al fuerte un indio mensajero llamado Puchelco (AD, 305) a decirle a don García, de parte suya y del cacique Curaguano, que se fueran, que se salvaran de algún modo, porque iban a atacarlos «cuarenta mil soberbios araucanos» (AD, 303). Don García recibió la noticia sonriendo y sin inmutarse. Le dió las gracias al mensajero y le regaló dos capas de fina grana. En seguida le dijo que se fuera y que les dijese a los demás indios que él no regresaría, que seguiría adelante aunque se levantara la tierra y se le contrapusieran el mar y el viento (AD, 305).

Ercilla, a quien Oña sigue en lo esencial de este episodio, dice que el mensajero se llamaba Millalauco y que se presentó ante don García cuando estaban en la isla de Talcaguano, «hallándome con otros yo presente» (LA, 280). Oña lo puso después de la batalla de Penco basándose en Mariño de Lobera (*Crónica*, 204), y añadió de su cosecha que el ejército enemigo se componía de «cuarenta mil soberbios araucanos» (AD, 303).

Luego que Puchelco se fué, don García despachó en un batel a Ladrillero (AD, 305) y a Alarcón (AD, 308) para que fueran costa a costa hasta el río Maule, por donde debían ir ya Juan Ramón y su gente, con la orden de que acudieran luego a su defensa. Cuando los mensajeros llegaron al río, el ejército estaba ocupado en pasarlo. Tan pronto como recibieron el mensaje de don García, le enviaron cien soldados de caballería (AD, 308). Partieron éstos a marcha forzada, y a pesar de las dificultades del camino y de las treinta leguas que hay del Maule a Penco, hicieron el viaje en dos días (AD, 309). Llegaron al fuerte en el preciso momento en que los araucanos iban empezando un nuevo ataque, pero al ver la caballería mudaron el camino y el intento (AD, 309).

Ercilla no menciona este episodio. Oña lo tomó de Mariño de Lobera, introduciendo dos modificaciones en los detalles. Mariño de Lobera dice que la distancia del Maule a Penco es de «veinticinco leguas» y que los cien soldados las anduvieron «en tres días, habiéndose gastado el uno dellos en hacer balsas para pasar el río Nieblitato» (*Crónica*, 203). A los pocos días llegó el resto del ejército.

A fin de acrecentar su campo, don García despachó a la ciudad de la Imperial por más soldados (AD, 312) y empezó a hacer preparativos para marchar a las tierras de Arauco. Antes de emprender la marcha, don García quiso pasar revista a su gente. Con este objeto mandó que la caballería tomara colocación en un lugar de la playa de Penco y la infantería en otro, y que todos, uno a uno, pasaran frente a él, «para de cada cual juzgar quién era» (AD, 319).

El día fijado para la revista, seiscientos guerreros, que era el bando grueso (AD, 339) desfilaron ante don García, luciendo sus armas y sus briosos caballos. Desfilaron también mil indios amigos, tan diestros en el manejo de la flecha, «que al dar el salto un pece, lo clavaban» (AD, 340). Terminada la revista, don García nombró allí los oficiales y les pronunció un discurso. En seguida dió la orden de que el sábado siguiente, «en viéndose con luz el verde campo» (AD, 340), emprendieron la marcha en busca del enemigo, cruzando el Biobío «por donde con el mar se ve más junto» (AD, 341).

Los hechos fundamentales de esta revista los tomó Oña de la *Crónica* de Mariño de Lobera, el cual dice que «mandó don García a apercibir la gente, para hacer alarde, con intento de nombrar capitanes, y los demás oficiales... Para esto mandó que toda la gente de a caballo saliese a lo llano de la marina ... y que cada uno pasase la carrera con la lanza y adarga, haciendo después su escaramuza... Acabada de hacer la reseña en que se hallaron seiscientos hombres de pelea, nombró el gobernador ministros de su ejército los que parecieron más idóneos en este asumpto» (p. 205).

Oña agrega que la revista tuvo lugar «un viernes en la tarde» (AD, 313) y que además de la caballería desfilaron la infantería (AD, 315) y mil indios flecheros (AD, 340). Añadiremos que Ercilla no dice nada sobre esta revista y que dedica, en cambio, 24 octavas a describir con todo lujo de detalles la que, según él, hacía Caupolicán en Arauco (LA, 347-351).

De acuerdo con las órdenes de don García, su ejército se puso en marcha muy de mañana y se encaminó a la desembocadura del Biobío, la cual es tan ancha, «que puesto un grueso toro a la otra parte, / casi de sí ninguna especie envía» (AD, 347). A propósito de su partida para Arauco, don García dice: «Yo salí a primero de noviembre [de 1557] de la Concibición [Concepción], llevando conmigo seiscientos hombres, muy escogidos soldados, y mil caballos, y tres o cuatro mil [indios] amigos de servicio, y con una docena de religiosos con su cruz delante».[7]

Cuando ya estaban con el bagaje recogido para emprender la travesía del Biobío, los consejeros de don García y algunos veteranos de la guerra de Arauco, recordando «el mísero suceso de Valdivia» (AD, 346), le hicieron ver

7 «Relación que envía don García Hurtado de Mendoza, gobernador de Chile, desde la ciudad de Cañete de la Frontera, que nuevamente se ha poblado en Arauco», 24 de enero de 1558, en Medina, *Colección*, XXVIII, 144.

el peligro a que se exponían al pasar el río. Los araucanos podían estar ocultos en la otra banda y al desembarcar el primer grupo de soldados, que a lo sumo sería de cuarenta, los matarían a todos antes de que pudieran enviarles socorro (AD, 347).

Don García meditó un momento sobre lo que le habían dicho. Luego decidió mantenerse firme en su propósito y les contestó que era necesario pasar el río para cortarle el paso al enemigo. En seguida, sin dar la menor explicación, ordenó que su ejército subiera unas tres leguas por la orilla del río. Al cabo de las cuales, mandó parar su gente «que estaba desabrida y congojosa» (AD, 348), porque no sabía de qué se trataba. Allí les reveló su plan. Consistía éste en dar a entender que habían escogido aquel sitio para cruzar el Biobío. Los araucanos acudirían a la ribera opuesta para atacarlos al desembarcar. De esta manera les dejarían libre el paso por donde en realidad iban a pasar.

Revelado su plan, don García mandó a sus soldados que ocuparan la ribera y que simularan todos los preparativos para el fingido pasaje. Dos días se ocuparon en esto, a la vista de los araucanos que ya se habían reunido al otro lado. Al anochecer del segundo día, don García se volvió con un tercio de su gente a la desembocadura del Biobío, donde ya lo esperaban los barcos y bateles que por orden suya habían venido del puerto, «seis millas destas aguas apartado» (AD, 349).

Este ardid usado por don García para engañar a los indios, que Ercilla pasa por alto, lo tomó Oña de Mariño de Lobera e introdujo varias modificaciones de detalle. Por ejemplo, Mariño de Lobera no dice que todo el ejército hubiera tomado parte en la maniobra, sino que sólo «alguna gente» (*Crónica*, 206).

Don García mandó que se echaran al río grandes balsas para que se diera comienzo al pasaje. Nuevamente le advirtieron el peligro a que se iban a exponer. Entonces don García, «oculto, porque nadie le estorbase» (AD, 349), en compañía de los capitanes Julián de Bastidas, Juan Ramón y Diego Cano, se metió en una barca y atravesó el río. Una vez al otro lado, montaron en sus caballos, que habían ido en otra barca, reconocieron hasta dos millas (AD, 350) del territorio araucano y regresaron sin que les hubiera ocurrido nada.

Esta hazaña del gobernador de Chile no la mencionan Ercilla ni Mariño de Lobera. La fuente que utilizó Oña fué la «Relación» del 24 de enero de 1558, en la cual don García dice que «como la más gente que traía era chapetona y los baquianos estaban tan amedrentados de las burlas pasadas, sentí que andaba grand miedo en el campo, y por darles a entender lo poco en que los habíamos de tener a estos pobres indios, hice echar una barca en un río muy grande, que tiene dos leguas de ancho, y metí veinte arcabuceros de mi compañía y cinco caballos, y dejé los arcabuceros en defensa del paso del río, e yo entré con cinco de a caballo dos leguas la tierra adentro, y la recorrí toda y me volví a mi gente. Y con esto parece que tomó la gente ánimo». [8]

Al saber los tímidos soldados lo que había hecho don García, «confusos, vergonzosos y corridos» (AD, 351), se lanzaron hacia los barcos y empezaron las tareas del paso. Tanta fué su diligencia «que no era bien pasado el cuarto día» (AD, 351), cuando ya todo el ejército había cruzado el Biobío. Oña exagera un poco la rapidez con que cruzaron el Biobío, porque don García dice: «Y por grand prisa que me di, había tantos caballos y ganado, que me detuve en pasar seis días». [9]

---

8 *Ibid.*
9 *Ibid.*, 145.

Una vez en la otra banda, se formaron en orden de batalla y emprendieron la marcha por las vedadas tierras de Arauco, con las banderas, estandartes y pendones desplegados a la fresca brisa de la mañana, ganosos de medir su dura lanza «con la mortal del bárbaro enemigo» (AD, 353). Al poco caminar se encontraron con la gente que don García había mandado buscar a la Imperial, los cuales llevaban provisión y bastimento. Eran cincuenta soldados de caballería y fueron distribuídos entre los capitanes.

Ercilla no indica cuántos eran estos soldados. Se limita a decir que se unieron al ejército «al comenzar de la primer jornada» (LA, 346), es decir, antes de pasar el Biobío. Oña se basó en Mariño de Lobera, en cuya *Crónica* se lee que a la pasada del río «encontraron a los cincuenta de a caballo que venían de la ciudad Imperial llamados del gobernador» (p. 206).

Don García llevaba la delantera para escoger el sitio donde hacer seguro alojamiento, «que siempre le mataba este cuidado» (AD, 353). Luego le ordenó al capitán Alonso de Reinoso que con treinta soldados se adelantara algunas leguas a correr la tierra. «Y en tanto marcha y sigue su camino / el español ejército vistoso» (AD, 354). A la hora del mediodía llegaron a un lugar donde había abundante pasto y agua. Allí mandó don García que hicieran alto y dió licencia para que reposara la gente.

Apenas se habían entregado al descanso cuando oyeron a poca distancia un estruendoso tropel y confusa gritería. Creyendo que eran los indios, se armaron al instante y los esperaron a punto de batalla. Pronto vieron que la causa del ruido era el capitán Reinoso y sus treinta corredores que volvían huyendo de los indios. Reinoso había recorrido unas tres leguas (AD, 357), cuando de improviso se vió atacado por veinte mil indios que estaban emboscados «no lejos de la cuesta Andalicana» (AD, 355), algunos de los cuales los persiguieron hasta muy cerca del campamento español (AD, 357).

Minutos después llegó corriendo, «sin huelgo, sin color y sin sentido» (AD, 365), el soldado Ramón de Vega (AD, 364) que en compañía de Hernán Guillén se había desmandado del real a coger frutilla (AD, 358), a decirle a don García que los indios habían dado muerte a su compañero Guillén. Don García mandó que Juan Ramón, el maese de campo, fuese con cincuenta soldados escogidos a comprobar la ocurrido.

Salió Juan Ramón «en polvorosa y súbita carrera» (AD, 365). Luego vió que un poderoso ejército enemigo cubría todo el llano. Se detuvo entonces a observar, porque la orden que tenía era sólo «para reconocer y dar aviso» (AD, 380). Observando estaba Juan Ramón cuando el soldado Hernán Pérez dió el grito de «¡Sanctiago! ¡Cierra! ¡España!» (AD, 366), y se lanzó contra los indios. Le siguieron los demás y se trabó un sangriento combate, cuyo resultado fué que pronto los españoles se vieron obligados a batirse en retirada a todo el correr de sus caballos hasta que llegaron al campamento (AD, 379).

En vista de esto y aunque los indios eran tantos, don García mandó que su ejército les hiciera frente, con lo cual se dió principio a la batalla de Biobío (AD, 379), llamada así «por haber sido casi a su ribera» (AD, 343). En el llano se encontraron «el poderoso Arauco y fuerte España» (AD, 381). Empezaron el combate con tal furia que en breve tiempo el campo quedó cubierto de sangre, «nadando en ella el vivo y el difunto» (AD, 381). En medio de la batalla, don García exhorta a su gente «con lengua y mano» (AD, 383) y es el que más se distingue por su valor y lo acertado de sus golpes, «pues cuando se le pone alguno a tiro, / le hace dar el último sospiro» (AD, 383).

Después de haber combatido en el llano durante tres horas, «con suspensión igual de la fortuna» (AD, 586), los indios se recogieron a una laguna pantanosa (AD, 398), donde la batalla continuó con más ferocidad: «Allí, como a los patos en el agua, / apunta el arcabuz y el plomo asienta» (AD, 399). Por fin, en las últimas horas de la tarde, al ver los araucanos que habían perdido mucha gente entre muertos y heridos, empezaron a batirse en retirada hacia el bosque, dejando luego a los españoles con una nueva victoria (AD, 409).

Ercilla y Mariño de Lobera no indican el número de indios que tomaron parte en la batalla de Biobío. La cantidad de veinte mil que señala Oña se basa en la «Relación» que escribió don García en 1559. En ella dice que «al pasar de un río grande llamado Biobío . . . salieron otra vez más de veinte mil indios, con los cuales hube otro encuentro, y también fueron desbaratados».[10]

La participación que Oña le atribuye a don García en el combate se basa en Mariño de Lobera, el cual afirma en su *Crónica* que el gobernador fué «el primero que salió a caballo a trabar batalla con los contrarios» (p. 207). No fué así, sin embargo. En su «Relación» del 24 de enero de 1558, refiriéndose a esta batalla, don García dice: «Quise yo ir allá, y todos los soldados y frailes y clérigos me asieron de las riendas del caballo, [para] que no los dejase. Llevé la infantería a pie, y les parescía que los desmamparaba, y estúveme así junto al real con mi campo, y de allí envié al capitán Rodrigo de Quiroga con cincuenta lanzas, y a mi alférez con mi compañía de arcabuceros».[11]

Con la victoria de Biobío terminan los hechos históricos del *Arauco domado* que se refieren a la expedición a Chile contra los araucanos. Llega hasta el canto XII, 423.

10 «Relación enviada por don García de Mendoza de lo que hizo para recuperar la provincia de Chile», 1559 [sin lugar ni mes], en Medina, *Colección*, XXVIII, 309.

11 «Relación que envía don García» . . . 24 de enero de 1588, en Medina, *Colección*, XXVIII, 146.

2. *La expedición al Ecuador contra los rebeldes de Quito*

Valiéndose de la ficción del sueño de Quidora, Oña traslada los hechos históricos del poema a Lima, «en los tiempos, respeto de entonces, venideros» (AD, 481), que don García desempeñaba las funciones de virrey del Perú. Por boca de Quidora relata Oña el motín de la ciudad de Quito y las medidas que tomó don García para su pacificación (Cantos XIV, XV y XVI).

Tres años hacía que don García gobernaba tranquilamente en el Perú, cuando se sublevaron los habitantes de Quito con motivo del cobro de las alcabalas. «Mas para que la historia vaya clara / y no trabaje nadie en percebilla, / quiero tomar de atrás la correndilla» (AD, 502).

Movido por mil razones lícitas, el Rey había ordenado que se cobrasen las alcabalas en el virreinato del Perú y que lo hiciera su representante en Lima, pero ninguno de los virreyes se había atrevido a tanto. La orden quedó sin cumplirse hasta que don García la puso en ejecución, mandando pregonar la cédula real y haciendo repartir muchos ejemplares del arancel respectivo.

Esta cédula real fué expedida por el Rey en el Pardo el primero de noviembre de 1591, y debía hacerse efectiva en el virreinato del Perú desde el principio de 1592.[12] El arancel que menciona Oña fué impreso en Lima por Antonio Ricardo en 1592.[13] La licencia para su publicación, dada por el Virrey, es de fecha 27 de abril del mismo año 1592.[14]

La reacción del pueblo ante el nuevo tributo fué de general desagrado, pero se resignó a aceptarlo sin hacer públicas sus protestas. Luego se empezó a cobrar «el dos por ciento» (AD, 505) en todo el territorio de la Audiencia

12 Suárez de Figueroa, *Hechos de don García*, 104.
13 Medina, *La imprenta en Lima*, I, 37.
14 *Ibid.*, 38.

de Lima. En seguida, don García envió la cédula a Quito, «con cartas al Cabildo y a la Audiencia» (AD, 508), en las cuales les explicaba que el Rey no mandaba cobrar las alcabalas para acrecentar sus bienes, sino para poder asegurarles su propia tranquilidad tanto en mar como en tierra. La cédula real y las cartas de don García fueron recibidas en Quito el 23 de julio de 1592, y el nuevo impuesto debía principiarse a cobrar desde el 15 de agosto.[15]

Antes de que la cédula real llegara a Quito, ya sus habitantes se habían declarado en contra de las alcabalas y estaban haciendo propaganda por todas partes para que nadie las pagara «en tanto que apelasen para España» (AD, 509). Así las cosas, la Audiencia de Quito, en cumplimiento de su deber mandó pregonar la cédula. Esto produjo una verdadera tormenta en el pueblo. Se reunieron los quiteños y «con mucha libertad y atrevimiento» (AD, 510), presentaron sus protestas a la Audiencia. En vista de tal actitud, la Audiencia suspendió la ejecución de la cédula e informó al Virrey de lo que sucedía.

Los quiteños, entretanto, como estaban determinados a resistir el cobro de las alcabalas, se reunían secretamente para darle forma a su movimiento. En un convite que celebraron fuera de la ciudad, «en medio un campo fértil y dehesa» (AD, 517), trazaron sus planes definitivos. Pero no faltó un traidor que los denunciara.

La Audiencia supo que el caudillo de los amotinados era Alonso de Bellido (AD, 517), y lo hizo tomar preso. Los rebeldes juntaron gente y con multitud de arcabuceros se fueron a la Audiencia resueltos a quitárselo por la fuerza. En un principio la Audiencia se negó a entregárselo, pero al fin, para evitar un nuevo desacato, dejó a Bellido en completa libertad (AD, 519), y despachó ocultamente un mensajero con el informe de lo ocurrido a don García para que tomase las medidas que creyera convenientes (AD, 520).

---

15 González Suárez, *Historia general del Ecuador*, III, 197 y 198.

A todo esto el movimiento de rebelión iniciado en Quito se iba extendiendo por las demás ciudades del virreinato. Don García le puso término haciendo ahorcar a los cabecillas tan pronto como eran descubiertos. De esta manera fueron ejecutados tres en el Callao, cinco en el Cuzco, dos en Arequipa, uno en Cabaña y otro en Chuquiabo o la Paz, que así también se llamaba esta ciudad (AD, 521).

En cuanto al caso de Quito, después de consultar a sus consejeros, don García comisionó al general Pedro de Arana para que con cincuenta soldados escogidos acudiera en socorro de la Audiencia y tratara por medios pacíficos de restablecer la calma entre los quiteños (AD, 523). Pronto salió de Lima el general Arana a la cabeza de sus cincuenta soldados y se embarcó secretamente en un bajel que lo esperaba en el Callao con todo lo necesario para cualquier eventualidad. Al cuarto día de navegación, el barco empezó a hacer agua por cinco o seis junturas y estuvo a punto de hundirse. Llegaron de arribada forzosa cerca de Guayaquil e inmediatamente partieron con todo sigilo para Quito.

A pesar de la cautela con que Arana hacía su viaje, no tardaron los quiteños en tener noticias de sus planes. En vista de esto, Arana hizo alto en Atacunga y envió sus cartas al Cabildo y a la Audiencia, diciéndoles cómo había venido con sus soldados por orden especial de don García para ponerse a su disposición «en todo lo que fuese conveniente» (AD, 535).

La llegada de las cartas de Arana a Quito fué como echarle leña al fuego. Los quiteños comenzaron a armarse y a hacer gente para impedirle que entrase en la ciudad. Luego nombraron sus cabecillas, tomaron sus armas, enarbolaron el estandarte de la ciudad y se fueron a dar parte a los oidores de lo que habían acordado en sus juntas, obligándolos a que le dieran su aprobación. Para que su movimiento tuviera cierto tinte oficial, nombraron general de las fuerzas revolucionarias al oidor Zorrilla. Aceptó éste con la sana intención «de componer al pueblo en sus furores» (AD, 536). Las buenas intenciones de Zorrilla produjeron resultados que él no esperaba. Los rebeldes se aprovecharon de su nombre para intensificar la propaganda. Lo hicieron tan bien que en poco tiempo todo Quito estuvo en pie de guerra.

Con el objeto de tomar posesión de los pasos fuertes que Arana había ocupado, los rebeldes pidieron a la Audiencia que enviara a Arana un representante con el mensaje de que si se volvía a Guayaquil, los quiteños depondrían las armas y todo quedaría en paz. Accedió la Audiencia. Obedeció Arana y se volvió del Atacunga a Ríobamba (AD, 540). Entretanto los rebeldes seguían armándose y cometiendo toda clase de atropellos. Nuevamente le pidieron a la Audiencia que despachara provisiones al general Arana mandándole que para el mejor logro de su intento se retirara a un lugar más distante. Arana se volvió entonces a Chimbo, treinta leguas de Quito (AD, 540), para ver si desde allí podía poner treguas.

Viendo Arana que los quiteños estaban cada vez más rebeldes, decidió eliminar al caudillo Alonso de Bellido y lo mandó asesinar (AD, 541). El asesinato de Bellido ocurrió «en la noche del 28 al 29 de Diciembre [de 1592], como a la una de la mañana».[16] Creyendo los amotinados que el principal autor de semejante acción había sido el presidente de la Audiencia, Manuel Barros, se lanzaron hacia su casa clamando venganza: «Subieron por el cuarto en que vivía, / cubiertos de la media noche fría» (AD, 542). El presidente Barros, que acababa de acostarse, al oír el ruido de la gente comprendió que se hallaba en peligro y «sin aguardar a ropa ni vestido» (AD, 543), saltó de la cama para escapar por otra puerta. De nada le valió tal presteza, pues los rebeldes le cerraron el paso y lo tomaron

16 *Ibid.*, 219.

preso. En seguida lo pusieron en lugar seguro, donde lo tuvieron mucho tiempo con guarda rigurosa e incomunicado (AD, 547).

Después de estos incidentes los amotinados hicieron que la Audiencia despachara nuevas provisiones al general Arana para que se alejara más de Quito. Considerando Arana que estas órdenes no podían ser del libre albedrío de la Audiencia, como no lo eran, resolvió reunir gente en las comarcas vecinas a Chimbo, donde estaba, para llevar adelante su expedición.

Luego recibió Arana cincuenta soldados que le habían enviado de Guayaquil. Con éstos y los que él tenía dió la vuelta a Ríobamba para observar de cerca en qué paraba la rebelión de Quito y para que allí acudieran más presto los de los lugares comarcanos que quisieran juntársele. En Ríobamba aumentó sus fuerzas con ciento treinta soldados que le llevó el capitán Lorenzo Fernández de Heredia, corregidor de Loja y Zamora; más treinta que le enviaron de Paita y una compañía de Cuenca: «Con que sumado el número hacía / trescientos hombres, todos como el fuego» (AD, 555).

A tal sazón llegó a Quito una comunicación de don García, por la cual mandaba que los quiteños echasen tierra a lo pasado y que el general Arana no pasase del sitio donde recibiera su mensaje. Todo era con la condición de que en adelante hicieran lo que mandara el licenciado Marañón, visitador más antiguo de la Audiencia de Quito. Quería ver si de esta manera podía sosegar los ánimos. Los amotinados no hicieron caso de las provisiones de don García y continuaron insistiendo en «que frenase Arana el paso» (AD, 556).

En vista de esto, Arana le escribió a don García que era gastar el tiempo en vano tratar de sosegar a los quiteños por medios pacíficos, porque todo lo que hacían era andar en dilaciones a fin de apercibir su ejército y poder fortalecerse. Le decía además que la única manera de terminar con la rebelión era por la fuerza y que si le enviaba doscientos escogidos mosqueteros y otros tantos arcabuceros, él estaba dispuesto a marchar sobre Quito. Don García aceptó el plan que le proponía Arana y le despachó el refuerzo que solicitaba al mando del maese de campo don Francisco de Cárdenas, el cual salió del Callao en dos barcos bien provistos de bastimentos, armas y municiones (AD, 560).

A todo esto los sucesos de Quito iban de mal en peor. Un grupo de rebeldes se fué al palacio de la Audiencia para matar a los oidores. Allí al oír el ruido, se asomó a la ventana un jovencito pariente de Zorrilla. Los amotinados, creyendo que era oidor, le dispararon un balazo y lo mataron. En vista de lo cual, los oidores huyeron y se refugiaron en el convento del Seráfico Francisco, donde quedaron en espera de que alguien pudiera ir a salvarlos (AD, 561). Cuando la noticia de este incidente llegó a Lima, don García despachó provisiones al general Arana autorizándolo para que si se le presentaba una buena oportunidad, partiese de Ríobamba con la gente que tenía y entrara en la ciudad (AD, 562).

Al mismo tiempo, para desconcertar a los rebeldes, don García hizo correr la voz en Quito, en forma de secreto, de que le había enviado al general Arana un poderoso ejército, provisto de municiones y muy extrañas máquinas de guerra, para que unido al que tenía en Ríobamba marchara sobre la ciudad, y que si esto no bastaba para que los quiteños se sosegaran, él mismo iría a castigarlos por su rebeldía (AD, 565). «No fué la voz dar voces en desierto» (AD, 565), porque de casa en casa se transmitían secretamente los rumores más fantásticos. En unas se decía que el ejército enviado de Lima era tan grande que el mar iba cubierto de gente; en otras se aseguraba que Arana ya había entrado en la ciudad, etc.

Esto ocurría en los días que los quiteños estaban listos con dos mil soldados para salir contra Arana. Los cabecillas dieron crédito a los rumores y se consideraron perdidos. Para evitar las consecuencias de su inminente derrota, decidieron entregarse a Arana con la esperanza de que los perdonara por su arrepentimiento. La víspera del día que habían fijado para marchar contra las fuerzas reales, el caudillo Juan de Vega, «con treinta de su lado y compañía» (AD, 569), abandonaron secretamente a sus conjurados y se fueron a donde residía Arana. Allí, con toda humildad le rogaron que les hiciera la merced de recibirlos. Arana los admitió a todos. Con este ejemplo, poco a poco se pasó un buen número de rebeldes a su lado.

Pronto comprendió Arana que había llegado el momento de entrar en Quito. Comunicó sus planes a la Audiencia y a un bando de sesenta vizcaínos, con quienes se carteaba frecuentemente, para que salieran a franquearle un paso peligroso del camino. Sin esperar el refuerzo que le llevaba don Francisco de Cárdenas, Arana emprendió la marcha sobre Quito, con tal prisa y buena maña, que cuando los quiteños se dieron cuenta de su llegada, ya él había tomado la ciudad. Salió entonces la Audiencia con su gente a recibir al general Arana. Entró éste pomposamente en Quito, «en medio de los graves senadores, / al són de claras trompas y atambores» (AD, 571). La toma de Quito, dice González Suárez (*Historia general del Ecuador*, III, 240), tuvo lugar el 10 de abril de 1593.

Restablecida su autoridad, la Audiencia empezó a castigar con mano de hierro e inflexible a todos los que habían tomado parte en la rebelión. El castigo lo hacía Arana. No sólo los ahorcaban sino que les cortaban la cabeza y las ponían en jaulas; les arrasaban sus casas y les confiscaban sus haciendas: «Pues como tal castigo se hacía, / la tierra al fin quedó tan asentada / y tan escarmentados sus vestiglos, / que se gozaba en paz por largos siglos» (AD, 574).

En cuanto a las fuentes históricas de los hechos sobre la rebelión de Quito, lo único que sabemos es que Oña se basó en una relación escrita que le dió don García, parte de la cual conservaba aún en su poder el 4 de mayo de 1596.[17]

3. *La expedición naval contra el pirata Richarte Aquines*

Terminada la relación de los sucesos de Quito, Quidora dijo que aun faltaba de su sueño «la cosa más terrible y estupenda» (AD, 578). Era un enigma que ella no comprendía. Por esto se lo refirió a su auditorio para que el más cursado en sueños se lo explicara a los demás. He aquí el enigma. Un dragón ferocísimo salía por una gruta negra y se lanzaba al mar con sed rabiosa, seguido por una banda dañina de voladores grifos, los cuales detenían su raudo vuelo en Chile, de donde sacaban rica presa. Cuando el dragón volvía satisfecho, salió bramando de una cueva «un bravo león de cuello vedijoso» (AD, 579), que lanzándose al mar, cogió al dragón y lo hizo trizas.

Cada uno de sus oyentes trató de interpretar el enigma, pero ninguno tuvo éxito. Entonces el pastor Guemapu, en cuya cabaña estaban, llamó a su hija Llarea, una niña de trece años (AD, 608) que tenía cierta habilidad para interpretar sueños misteriosos. Después de meditar un momento, Llarea dió interpretación al enigma. Como Llarea aludía a hechos que habían ocurrido recientemente en el Perú, el poeta le arrebató el cuento de la boca y empezó a cantar la batalla naval que en el Mar del Sur se ganó del pirata Richarte Aquines (Cantos XVIII y XIX).

Richarte Aquines había salido de Inglaterra para la América del Sur a la cabeza de una banda de piratas. Después de pasar por el Brasil se dirigió a la costa occidental.

---

17 «Proceso de Oña», en Medina, *Biblioteca*, I, 50.

Al cruzar el Estrecho de Magallanes perdió las naves de su escuadra, quedándole sólo la capitana, la cual era «tan bella, que la Linda fué llamada» (AD, 624). La Linda estaba aparejada para cualquier encuentro y su tripulación era de lo más granado.

De Magallanes, Richarte navegó hacia el norte y llegó a Valparaíso, falto de bastimentos y de muchas otras cosas. Allí se apoderó de cinco bajeles indefensos que estaban en la bahía bien pertrechados de cables, jarcias, lonas «y de comida en colmo abastecidos» (AD, 624), más veinte mil pesos de oro. Luego desembarcó y entró en negociaciones con el pueblo sobre el rescate de las naves que acababa de tomar.

Hecho su agosto en Valparaíso, provisto de cuanto necesitaba, y llevándose uno de los bajeles que había capturado, Aquines se hizo a la vela con rumbo al norte. Entonces «se despachó volando una fragata» (AD, 620) para el Perú dando aviso a don García. Esta nave, que en quince días hizo el viaje (AD, 620), era una de las que se habían rescatado de Richarte.

Don García recibió el mensaje el 17 de mayo de 1594 (AD, 620), a las dos de la tarde, hallándose enfermo y en cama (AD, 621). Se levantó en el acto y convocó una junta para discutir el caso. La junta acordó que se aparejaran los galeones reales a fin de que salieran al encuentro de Richarte y lo destruyeran para siempre. Tan pronto como se tomó esta decisión, que fué al anochecer, don García despachó fuerza armada al Callao para su protección, y ordenó a los capitanes Pulgar, Manrique y Plaza que dentro de tres días, cada uno levantara una compañía de cien hombres. Cuando «la media noche y más era pasada» (AD, 626), don García se dirigió al Callao para atender personalmente a los detalles de la preparación de la armada. Dejó en Lima en calidad de teniente al doctor Alonso Criado de Castilla, oidor más antiguo de la Audiencia.

Una vez en el Callao, don García despachó mensajeros hacia el sur y hacia el norte, hasta México, a fin de que toda la costa estuviese en guardia. En seguida mandó que se apercibieran tres fuertes galeones con «cuanto era menester para el intento» (AD, 632), y que se pusieran en orden tres patajes para que les sirvieran de auxiliares.

Pronto llegaron al Callao los capitanes Pulgar, Manrique y Plaza con su gente, y fuera de ésta, más de ciento veinte caballeros ofrecidos (AD, 633). Don García nombró general de la expedición a don Beltrán de Castro y de la Cueva, y almirante a don Alonso de Vargas Carvajal, «señor de Tarapacá» (AD, 638). Tanta fué la diligencia que emplearon en la preparación de la armada, que en menos de ocho días hicieron lo que de ordinario en esta tierra y aun en España, hubiera tardado un año. Todo esto se consiguió gracias a la prudencia y previsión de don García, porque desde tiempo atrás había estado continuamente haciendo munición y artillería. Cuando la armada estuvo lista para hacerse a la vela, don García entró en un esquife y fué a visitarla. Después de haber alentado a su gente con «altísimas razones» (AD, 645), regresó a la marina y dió la orden de partida haciendo disparar una pieza.

Mientras la escuadra de don Beltrán navegaba en busca de Richarte, llegó a Lima el aviso de que éste había aparecido en Arica, no con un bajel como se decía, sino con tres «y más una ventola» (AD, 650). Por esta relación se creyó que Richarte había hallado su almiranta «que en Chile dijo habérsele perdido» (AD, 650) al cruzar el Estrecho de Magallanes. Pero no había tal cosa. Las naves que Richarte tenía en Arica eran las siguientes: su capitana y el pataje que sacó de Valparaíso, otro que tomó en alta mar (AD, 655) y el batel lleno de pescado que le quitó a un arráez al llegar a Arica (AD, 650).

Apenas recibió la noticia, don García mandó que se apercibiera una nueva escuadra, lo cual se hizo con más presteza que la anterior. Se componía esta segunda armada de tres naves: la galizabra, que don García había mandado construir en el Callao, un bergantín y un galeón. Don García tomó esta medida para proteger treinta o más patajes y navíos que estaban en el Callao tan desprovistos de defensa bélica «que los rindiera un tiro de bombarda» (AD, 652), para seguir a Richarte en caso de que huyera o para que si la armada de don Beltrán tenía algún accidente, pudiera ser reparada sin dilación.

En Arica comprendió Richarte que le era necesario tomar precauciones. Redujo su fuerza naval a la capitana y una lancha (AD, 654), construída con el batel que le había quitado al arráez a su llegada a Arica; mandó meter fuego al pataje que traía de Valparaíso y devolvió a su dueño el que tomó en alta mar. Luego que salió de Arica, Richarte notó que toda la costa estaba preparada, con gente de a caballo por la playa (AD, 653) para atacarlo si desembarcaba. Por esto se vió obligado a seguir sin detenerse hasta que llegó al puerto de Chincha, treinta leguas al sur de Lima (AD, 653).

Desde allí se mandó la noticia a don García, el cual despachó «un volador chinchorro» (AD, 653) con el mensaje a don Beltrán para que enderezara a Chincha. Doce días hacía que don Beltrán había salido del Callao cuando recibió el aviso. En el acto se dirigió a Chincha, y al amanecer del día siguiente descubrió a Richarte en el puerto. Richarte lo vió primero y como comprendió que se le tendía una celada, viró a barlovento y más ligero que un gamo huyó hacia alta mar.

Don Beltrán se lanzó tras el fugitivo. A las pocas horas se levantó un temporal tan recio que le rompió el mastelero y la obencadura a su capitana, con lo cual no tardó en quedarse detenida en su carrera. El galeón San Juan, que iba más cerca de Richarte que los otros, se desaparejó de tal manera que cayeron de golpe al mar «los árboles y velas todo junto» (AD, 656), con lo cual también quedó inutilizado. Sólo el almirante continuaba tras el pirata con un pataje. Lo siguió durante todo el día, y varias veces estuvo a punto de darle alcance. Cuando llegó la noche perdió de vista a la Linda y también el resto de la armada. Ante tal fracaso, don Beltrán decidió que regresaran al Callao con el propósito de reparar las naves para continuar después la empresa comenzada.

Cuando la deshecha y rota armada volvió al Callao, en vista de que Richarte tenía sólo un barco, se aderezaron dos naves para perseguirlo. Las dos naves eran: la almiranta, que haría de capitana, y la galizabra, de almiranta. El resto de los barcos y su tripulación se quedaron en el Callao. También se quedó el almirante Vargas Carvajal, «por falta de salud y no de brío» (AD, 668) y porque su nave había sido señalada para capitana. En su lugar, don García nombró a don Lorenzo Fernández de Heredia, a quien ya vimos tomando parte en la expedición contra los rebeldes de Quito (AD, 669).

Con estas don naves y una lancha, partió por segunda vez don Beltrán en busca de Richarte. Iba hacia el norte por la costa, con viento largo, próspero y durable, reconociendo puertos y bahías:

> Ya pasa por Chancay la racimosa,
> Ya de la fértil Guaura se adelanta,
> Ya de Guarmey se aleja, ya de Santa,
> Tierra por los mosquitos enojosa;
> Ya de Trujillo apenas se ve cosa;
> Por popa deja a Chérrepe y a Manta;
> Cechura queda atrás y Sancta Elena,
> Tras Paita, donde hace luna buena. (AD, 670)

Por fin, después de muchas leguas de navegación, un día a las cuatro de la tarde, al doblar la punta de Galera, don Beltrán descubrió a Richarte en la Bahía de Tacámez, con su lancha a bordo, listo «para seguir su curso y larga vía» (AD, 671). Tan pronto como Richarte divisó las naves, despachó a su capitán con diez hombres [18] en la lancha para que fueran a reconocer. Don Beltrán mandó que su almirante saliera al encuentro de la lancha, en dirección a la playa, mientras él tomaba la del mar. Cuando la lancha «vino a llegarse a tiro de las bolas» (AD, 672), la almiranta le disparó tres balazos, pero no logró darle. Al oír los tiros, los de la lancha dieron la vuelta y huyeron hacia su nave.

Al ver Richarte que era la armada española, sin esperar la gente de su lancha partió a toda vela en dirección a la capitana. Don Beltrán que le había ganado el barlovento, le hizo frente y se lanzó contra él. Cuando estuvieron a tiro de cañón, Richarte rompió el fuego. Le contestó don Beltrán y se dió comienzo a la batalla. En lo más reñido del combate, Oña suspende la relación para continuarla en la segunda parte del *Arauco domado*, «con pie más lento y mano más fecunda» (AD, 683). Recordaremos aquí que no hay ni la menor noticia de que Oña haya escrito esta segunda parte que promete.

Todo lo que Oña refiere de la expedición naval contra el pirata inglés Richarte Aquines se basa en la *Relación* de los mismos hechos que por encargo de don García escribió y publicó en Lima el año 1594 don Pedro Balaguer de Salcedo, correo mayor del Perú:

Relacion de lo / svcedido desde diez / y siete de mayo de mil y qvinientos / y nouẽta y quatro años, que (don Garcia Hurtado de Mendoça Mar- / ques de Cañete Visorrey y Capitan General en estos Reynos y prouin- / cias dl Piru, Tierra Firme y, Chile, por el rey nuestro Señor) tuuo auiso / de auer desembocado por el Estrecho, y entrado en esta mar del / Sur, Richarte Aquines, de naciõ Yngles, Pirata, con vn na- / uio. Hasta dos de Iulio dia

---

18 Balaguer de Salcedo dice que fué con quince hombres (*Relación de lo sucedido* . . . fol. 4v.).

dela Visitacion de nuestra / Señora, que don Beltran de Castro y de la Cue- / ua, que fue por General dla Real Armada / le desbarato, vencio, y rindio, y de / las preuenciones de mar y tier- / ra, que para ello se hi- / zieron. / [siete fols. sin foliar].

[A manera de colofón] Para que se hiziesse mas puntual y verdadera esta relacion, mando / el Virrey que todas las que se auian tenido, se entregassen a Pedro Va-laguer de Salzedo, Correo mayor destos Reynos, y que dellas la / sacasse como la saco, y la diesse a Antonio Ricardo de / Turin, impressor, para q̃ la imprimiesse. Y or- / deno, que por cada vna dellas pudiesse lle- / uar ocho reales. /

Publ. en Un / incunable limeño / hasta ahora no descrito / Impreso a plana y renglón, con un prólogo / de / J. T. Medina / [escudo] / Santiago de Chile / Imprenta Elzeviriana / MCMXVI /

V

LOS HECHOS LITERARIOS

1. El idilio de Caupolicán y Fresia en Elicura

El idilio de Caupolicán y Fresia, canto v, que es uno de los episodios mejor concebidos del *Arauco domado*, tiene lugar antes de la batalla de Penco en una hermosa floresta del valle de Elicura. El nombre de este valle lo tomó Oña de *La Araucana*. Elicura era un poderoso cacique, señor de seis mil vasallos, a quien Ercilla menciona varias veces, por ejemplo, en la prueba del madero (LA, 28).

El valle de Elicura, según lo describe Oña, no tiene nada que ver con la naturaleza chilena. Fué creado por el poeta basándose en sus lecturas de la poesía bucólica, de la novela pastoril y de *La Araucana*. El pasaje de esta obra que más influyó en Oña fué aquel sitio europeo que Belona le mostró a Ercilla durante el sueño que tuvo poco antes de que los araucanos rompieran el ataque al fuerte de Penco (LA, 290-291).

Elicura, según Oña, estaba ubicado entre dos sierras tan altas que iban «a dar al cielo con las frentes» (AD, 165), y era de un clima arcádico perfecto: «Allí jamás entró el septiembre frío, / nunca el templado abril estuvo fuera; / allí no falta verde primavera, / ni asoma crudo invierno y seco estío» (AD, 165). Su rico y fértil prado está siempre cubierto de yerba y de vistosas flores: «Aquí veréis la rosa de encarnado, / allí al clavel de púrpura teñido, / los turquesados lirios, las vïolas, / jazmines, azucenas, amapolas» (AD, 166).

Ercilla dice que entre las hojas y la verdura del campo que le mostraba Belona se hallaban mezclados «el blanco lirio y encarnada rosa, / junquillos, azahares y mosquetas, / azucenas, jazmines y violetas» (LA, 290). Oña añade que por las flores se oía el susurro de las abejas que se llevaban el néctar «ya de jacinto, ya de croco y clicie» (AD, 166).

Por la floresta de Elicura pasa un sinuoso arroyo de agua tan cristalina que parece una cadena de puro vidrio: «Y con murmurio grato, sonoroso, / despacha al hondo mar la rica vena» (AD, 166). Las márgenes del arroyo están cubiertas de mirtos, salces, hayas, álamos, saucos, fresnos, nardos, ciparisos, pinos, cedros, yedras, vides y olmos, «con otros frescos árboles copados / traspuestos del primero paraíso» (AD, 167). Al mencionar tantas plantas de una vez, en dos octavas, Oña se aparta por completo de Ercilla, que sólo habla de «los copados árboles» (LA, 290), y acude al recuerdo de sus lecturas.

La selva del valle de Elicura se halla poblada por una gran cantidad de ninfas: «En corros andan juntas y escondidas / las drïadas, oréades, napeas, / y otras ignotas mil silvestres deas, / de sátiros y faunos perseguidas» (AD, 167). Aquí nos parece que Oña sigue nuevamente a Ercilla, pues en *La Araucana* leemos: «Por mil partes en corros derramadas / vi gran copia de ninfas muy hermosas. . . / con cítaras y liras en las manos, / diestros sátiros, faunos y silvanos» (LA, 290).

En las ramas de los frondosos árboles, movidas por el blando céfiro, gorjean en acordada música «mil coros de esmaltados pajarillos» (AD, 167). En este punto, si Oña no se inspiró en otras obras, bien pudo tener presente los siguientes versos de Ercilla: «Pues los pintados pájaros volando, / por los copados árboles cruzaban, / formando con su canto y melodía / una acorde y dulcísima armonía» (LA, 290). Oña completa el cuadro de las aves diciendo:

«Entre la verde juncia en la ribera / veréis al blanco cisne paseando, / ... sublimes por el agua el cuerpo fuera, / veréis a los patillos ir nadando» (AD, 168).

En el espeso y enredado bosque se halla toda clase de animales salvajes: «Ya sale el jabalí cerdoso y fiero, / ya pasa el gamo tímido y ligero, / ya corren la corcilla y el venado» (AD, 168). Sobre el mismo tema, Ercilla había escrito: «Ora atraviesa el puerco, ora el venado, / ora salta la liebre, y con el vicio, / gamuzas, caprïolas y corcillas / retozan por la yerba y florecillas» (LA, 291). A lo cual Oña agregó: «Ya se atraviesa el tigre variado, / ya penden sobre algún despeñadero / las saltadoras cabras montesinas / con otras agradables salvajinas» (AD, 168).

El arroyo de Elicura, después de formar una pequeña cascada, se detiene en medio de los árboles haciendo un deleitoso estanque: «Por su cristal bruñido y transparente / las guijas y pizarras del arena, / sin recebir la vista mucha pena, / se pueden numerar distintamente» (AD, 169). Al describir este estanque, Oña se aparta de Ercilla y recurre a sus lecturas, tal vez a Garcilaso. Véase, por ejemplo, lo que dice Albanio al hablar de la fuente donde estuvo con Camila:

«Y en medio aquesta fuente clara y pura, / que como de cristal resplandecía, / mostrando abiertamente su hondura, / el arena, que de oro parecía, / de blancas pedrezuelas variada, / por do manaba el agua, se bullía».[1] Si Oña tuvo presente este pasaje, su estanque supera al de Garcilaso en claridad y transparencia: «Los árboles se ven tan claramente / en la materia líquida y serena, / que no sabréis cuál es la rama viva, / si la que está debajo o la de arriba» (AD, 169).

Las márgenes del estanque están cubiertas de menuda yerba verde, tan pareja por todas partes, «como si la cortaran con tisera» (AD, 169): «Aquí ninguna especie de ga-

1 Garcilaso de la Vega, *Obras*, 3.ª ed., C. C., 3, Egloga II, p. 48.

nado / fué digna de estampar su ruda huella, / ni se podrá alabar de que con ella / dejase su esplendor contaminado» (AD, 170). No podemos menos de observar que en estos cuatro versos el recuerdo de Garcilaso se ve claro, pues Albanio dice, refiriéndose a la fuente del lugar citado: «En derredor ni sola una pisada / de fiera o de pastor o de ganado / a la sazón estaba señalada».[2] Oña añade: «Tan solamente el Niño dios alado / en esta parte vive y goza della, / y esparce tiernamente por las flores / alegres y dulcísimos amores» (AD, 170).

El paisaje del valle de Elicura es de una belleza extraordinaria. Si no es posible señalar casos concretos de concordancia con las obras que Oña pudo tener presente al escribirlo, allí se notan los temas y se percibe el ambiente de la poesía bucólica y de la novela pastoril desde Virgilio hasta Ercilla, pasando por Sannazaro, Garcilaso, Montemayor y Gil Polo, sin olvidarse de Ovidio. El mérito de Oña, y es un gran mérito, consiste en la composición y en la riqueza de elementos que encierra dicho pasaje.

Tal era el sitio en que Caupolicán sesteaba y se divertía con su amada Fresia, sin que le preocuparan los cuidados de la guerra: «Porque do está el amor apoderado, / apenas puede entrar otro cuidado» (AD, 170). Movido por el encanto del paisaje y la ociosidad, Caupolicán le recuerda a Fresia con palabras tiernas y amorosas sus pasados lances:

> Y al regalado són que amor le toca,
> Le canta: Dulce gloria, dulce vida,
> ¿Quién goza como yo de bien tan alto,
> Sin pena, sin temor, ni sobresalto?

---

2 *Ibid.*

¿Hay gloria o puede habella que se iguale
Con esta que resulta de tu vista?
¿Hay pecho tan de nieve que resista
Al fuego y resplandor que della sale?
¿Qué vale cetro y mando, ni qué vale
Del universo mundo la conquista,
Respeto de lo que es haberla hecho
Al muro inexpugnable de tu pecho?

¡Dichosos los peligros desiguales
En que por ti me puse, amores míos!
¡Dichosos tus desdenes y desvíos,
Dichosos todos estos y otros males!
Pues ya se han reducido a bienes tales,
Que entre estos altos álamos sombríos,
Tu libre cuello rindas a mis brazos
Y a tan estrechos vínculos y abrazos. (AD, 170-171)

Cuando Caupolicán terminó su canción, Fresia le dijo suspirando que ella tenía el presentimiento de que tanta felicidad no podía ser duradera: «Pues nunca tras el dulce y tierno estado / se deja de seguir el agro y duro, / ni viene el bien, si vez alguna vino, / sin que le ataje el mal en el camino» (AD, 171). Caupolicán le contesta que aleje de su pecho esos temores, porque aunque el hado se muestre esquivo, no hay nadie que le pueda quitar su felicidad y le asegura que mientras él viva, ella no tendrá nada que temer: «Con esto se levantan de las flores / y alegres por el prado se pasean» (AD, 172).

Lo que Caupolicán le dice a Fresia en la mencionada canción pertenece al conocimiento universal. Se advierte que el pastor Caupolicán canta «al són que amor le toca» (AD, 170), y no al compás de un instrumento musical como lo hacía la mayoría de los galanes de la novela pastoril en casos semejantes. El presentimiento que aflige a Fresia y la manera en que Caupolicán la consuela se parecen mucho al coloquio de Lautaro y Guacolda, momentos antes de la batalla de Mataquito, según lo refiere Ercilla (LA, 222-225). La originalidad de Oña se halla en la composición de la escena y en la forma en que la expresa.

Después de pasearse por el prado, Caupolicán y Fresia descienden al estanque que los está invitando con su frescura. Caupolicán se desnuda y se arroja al agua: «Y esgrime el brazo y músculo fornido, / supliendo con el arte y su destreza / el peso que le dió naturaleza» (AD, 172). Fresia, que no desea quedarse sola, se desnuda también y se lanza a la fuente, luciendo un cuerpo de tal belleza que hasta el sol se detuvo para admirarla: «Mostrósele la fuente placentera, / poniéndose en el temple que ella quiso, / y aun dicen que de gozo al recebilla / se adelantó del término y orilla» (AD, 173). Zabullendo se va Fresia hasta llegar al lado de Caupolicán. Allí se pone de pie, se sacude el pelo y le echa los brazos por el cuello. Caupolicán hace otro tanto:

Alguna vez el ñudo se desata,
Y ella se finge esquiva y se escabulle,
Mas el galán, siguiéndola, zabulle,
Y por el pie nevado la arrebata;
El agua salta arriba vuelta en plata,
Y abajo la menuda arena bulle;
La tórtola envidiosa que los mira,
Más triste por su pájaro sospira. (AD, 174)

La escena del baño se inspira en parte en la fábula de Sálmacis y Hermafrodito que cuenta Ovidio en las *Metamorfosis*, lib. IV, vs. 285-388. [3] Esta fuente la insinúa Oña en los versos siguientes: «No están allá los Géminis desnudos / con tal fogosas ansias de juntarse, / ni Sálmacis con Troco el zahareño, / a quien por verse dueña amó por

3 Ovid, *Metamorphoses*, with an English translation by F. J. Miller, «The Loeb Classical Library», London, Heinemann, 1936.

dueño» (AD, 174). Oña introduce dos cambios fundamentales en la fábula. El primero es que las cualidades físicas de Caupolicán no se parecen en nada a las de Hermafrodito; el segundo, que la belleza tanto de Sálmacis como de Hermafrodito, se la atribuye a Fresia, presentándola como una de las mujeres más bellas. (Véase su retrato físico en el cap. III, p. 105).

Cuando Caupolicán y Fresia se sentían más felices en el estanque, se les presentó la furia Megera disfrazada de mujer a comunicarle a Caupolicán, de parte de Plutón, que don García había llegado a Chile con un pequeño ejército, que llevaba el propósito de apoderarse de su tierra, que estaba fortificado en Penco y que le convenía ir a destruirlo antes de que le llegara el refuerzo que esperaba (AD, 175-179). Al oír la mala nueva, Fresia le dijo a su marido, despulsada y pavorosa: «¡Esto era lo que tanto yo temía!» (AD, 175). Caupolicán, furioso y sin decir nada, saltó del agua y corrió frenético a vestirse: «De allí se parte luego acelerado, / siguiéndole su Fresia presurosa» (AD, 180).

Así en forma tan brusca termina el idilio de Caupolicán y Fresia. En el fondo de este episodio se trasluce una intención moralizadora: la fuerza del mal simbolizado por Megera destruye la felicidad.

2. *Las aventuras de Tucapel y Gualeva*

El episodio de Tucapel y Gualeva, cuya acción se desarrolla en el bosque, empieza al atardecer, inmediatamente después de la batalla de Penco, dura toda la noche y parte del día siguiente. Es el más extenso de todos. Su personaje principal es Gualeva, nombre inventado por Oña. Lo formó quizás de Gualebo, afluente del Itata, que menciona Ercilla al relatar la historia de Tegualda (LA, 331).

Mientras los araucanos combatían en Penco, las indias estaban a dos leguas de distancia aguardando el resultado. Cuando los vieron regresar, salieron a encontrarlos «con sus pintados cántaros de vino» (AD, 242). Tras ellas iba la hermosa Gualeva, «de Tucapel amada tiernamente» (AD, 242). Al saber las mujeres que el ejército volvía en derrota y con grandes bajas, se entregaron a las más tristes lamentaciones: «Quién llora su marido, quién su hermano,/ quién a su amado hijo, quién su amante, / y quién al caro padre vigilante, / que así la deja huérfana temprano» (AD, 242).

Gualeva más desolada que todas, mira por todas partes y pregunta por Tucapel, «mas no hay quién sepa dél decille nada» (AD, 243). Temiendo una desgracia, corre de un lado para otro y llorando lo llama a gritos. Tanto era su dolor que no tardó en caer desmayada. Acudieron las demás mujeres en su auxilio y le dieron algunos remedios, con los cuales al poco rato volvió en sí. Suspirando y sollozando, Gualeva se arrancaba el cabello y se arañaba el rostro sin piedad. De súbito se puso en pie, y con varonil denuedo, «arremetió a las armas de un soldado, / quitándole la aljaba y un terciado» (AD, 251).

Con la aljaba al hombro y el terciado a la cintura, Gualeva sale en busca de Tucapel. Va en dirección del fuerte de Penco y corre con tanta velocidad que «más tiempo sobre el aire van sus plantas, / que sobre las que toca por el suelo» (AD, 254). Luego se puso el sol. En la oscuridad y el silencio de la noche sólo se oían los lamentos de Gualeva y los gritos con que llamaba a Tucapel: «Apenas la ramilla se menea, / o mueve el manso viento alguna hoja, / cuando su Tucapelo se le antoja, / en fe de ser la cosa que desea» (AD, 255).

Nuestros esfuerzos por encontrar concordancias entre la narración de Oña y otros casos parecidos, han resultado estériles. Por ejemplo, en nada concuerda con el episodio de Tegualda cuando busca a Crepino después de la batalla de Penco (LA, 328-344); Tegualda es una mujer muy tímida, sumisa y llorona. Tampoco hay concordancias con la manera en que Angélica iba por el bosque huyendo de Reinaldo, según el relato de Ariosto, *Orlando furioso*, c. I, oct. 33.[4] Las situaciones son distintas: Gualeva busca con deseo; Angélica huye con temor.

Así pues iba Gualeva por el bosque cuando de repente oyó un rumor que parecía ser de gente. Se paró a escuchar y pronto reconoció a la luz de la luna que eran Rengo y Leucotón. Estos indios habían sido de los últimos en retirarse de Penco (AD, 256). Con ansia lastimera, Gualeva les preguntó si tenían noticias de Tucapel, si estaba vivo o muerto. Ellos le contestaron que lo único que sabían era que se había quedado peleando dentro del fuerte. Al oír esto Gualeva se puso furiosa, los trató de cobardes y traidores por haberlo dejado solo. En seguida se fué de allí hacia la vuelta de una espesa y gran montaña, donde esperaba hallar a su marido: «Tan fuera va de sí como una loca, / con Tucapel hablando y respondiendo» (AD, 264).

Después de una larga carrera, Gualeva llegó al monte y se entró por la espesura, llamando a Tucapel. Como no lo encuentra, aumenta su desesperación y piensa en la muerte, deseando que la maten las fieras. Por fin, a eso de la media noche oyó «una cansada voz que se quejaba» (AD, 272). Volviéndose al sitio de donde salía la voz, a la claridad de la luna descubrió a Tucapel: «Que al pie del roble sólido y ñudoso / estaba como el pece palpitando, / en una grande balsa de sus venas» (AD, 273).

Gualeva se arrojó frenética sobre Tucapel y con abrazos y besos le empieza a hablar. Rasga al mismo tiempo su delicada túnica para ligarle las grandes heridas. Nada

4 Ludovico Ariosto, *Orlando furioso*, Milano, Ulrico Hoepli, 1949, p. 4.

sabía Tucapel de lo que hacía su mujer, porque a causa de haber perdido tanta sangre, en ese momento estaba desmayado. Viéndolo sin sentido, Gualeva se cubrió de un mortal sudor helado «que le quitara pena y vida junto, / a no volver el indio en este punto» (AD, 275).

Tucapel dió señales de vida diciendo extraños desvaríos. Gualeva, que no sabía que deliraba, le empezó a hablar con palabras de ternura. Tucapel le contestó con una serie de frases sin sentido, y se volvió a desmayar. Ante tal situación, la desconsolada Gualeva, «haciendo de sus lágrimas un baño» (AD, 276), comenzó a perder el tino y luego también se desmayó.

Después de un largo rato, Tucapel recobró el conocimiento. Al ver a Gualeva a su lado le dijo dulces palabras de amor, con lo cual ella volvió de su desmayo, y muda de emoción abrazó a su marido. Luego le curó con el zumo de yerbas las «catorce y más heridas que tenía» (AD, 285). El curar heridas con jugo de yerbas era común en la literatura. Se halla en pasajes de la *Eneida*, lib. XII, vs. 411-422;[5] de Ariosto, *Orlando furioso*, c. XIX, oct., 21-25; de *La Araucana*, c. XXXII, p. 519, etc. Oña le da color local a la escena dando el nombre de la planta, pues dice que Gualeva hizo la cura «con lanco, yerba dellos usitada, / que en Chile por cualquier lugar se cría» (AD, 285).

En seguida Gualeva le contó a Tucapel lo que le había pasado en el camino con Rengo y Leucotón. Tucapel, a su vez, le refirió lo del asalto al fuerte de Penco. Así conversaban cuando de repente oyeron un rumor por la maleza. Gualeva se levantó en el acto y echó mano a la espada (AD, 286). [La narración del episodio queda aquí en suspenso. Se continúa después de la batalla de Biobío, c. XII, 424].

5 Virgil, *Aeneid*, with an English translation by H. R. Fairclough, «The Loeb Classical Library», London, Heinemann, 1938.

Un momento después vió que por el boscaje se dirigía hacia ellos «una feroz y rábida leona, / espumajosa, fiera y enojada, / las uñas y la boca ensangrentada» (AD, 424).

Aparecía entonces la estrella matutina. Gualeva se puso de rodillas y levantando las manos hacia el lucero de la mañana, empezó a invocar a Venus para que la ayudara en la lucha que iba a trabar con la leona. Apenas terminó su oración, el planeta amigo «lanzó de sí una luz resplandeciente, / al talle que una flámula de fuego» (AD, 426).

Con esta señal, llena de alborozo Gualeva se puso de pie. La leona entretanto avanza lentamente hacia ella en actitud de atacarla. Gualeva no se mueve. La espera con la espada en la mano. En vista de esto, el fiero y moribundo Tucapel se levanta, desgaja el tronco de un roble y acude en defensa de su mujer en el instante en que la leona se arroja sobre ella (AD, 428). Ambos, Tucapel con el tronco y Gualeva con la espada, se defienden y atacan hasta que matan a la leona, la cual, «tendióse con el último bramido,/ que estremeció las cumbres y los llanos, / y habiendo ya estirado pies y manos, / quedó sin movimiento ni sentido» (AD, 430).

El incidente de la leona se inspira en la fábula de Píramo y Tisbe, relatada por Ovidio en las *Metamorfosis*, lib. IV, vs. 55-166. Esta fuente la indica Oña en el pasaje siguiente: «La Tucapela viéndola que viene, / el blanco pie no mueve temerosa, / cual hizo la Píramo famosa, / según allá su fábula contiene» (AD, 426). Oña utiliza sólo los elementos básicos de la fábula: dos amantes, la leona, una espada, el bosque, la noche, la luna y la muerte. Al desarrollarlos se aparta por completo de su modelo. Según Ovidio, Tisbe huye cuando ve a la leona, la cual sigue tranquilamente su camino; Píramo se suicida con su propia espada porque cree que la leona ha devorado a Tisbe y ésta se quita la vida con la misma espada al ver muerto a su amado. Se ve pues que Oña usa sus fuentes de una manera muy inteligente. Por esto es tan difícil hallar concordancias precisas con sus diversos episodios.

Libres ya de la leona, Tucapel y Gualeva, unidos en íntimos abrazos, comentan el incidente, celebran la dicha de hallarse juntos y se alaban recíprocamente por su valor: «Y en amoroso vínculo trabados, / debajo de unos árboles copados / esperan el crepúsculo del día» (AD, 434).

Allí estaban cuando de repente se le escapó un suspiro a Tucapel. Como Gualeva creyera que suspiraba por otra mujer, con palabras cariñosas y llorando, le empezó a cobrar celos. Tucapel se arrodilló ante Gualeva y le dijo que había suspirado al acordarse de su amigo Talguén, que en la batalla de Penco le había salvado la vida poniéndose por delante cuando peleaba con don Felipe de Mendoza (AD, 436). Gualeva quedó satisfecha con la explicación, y nuevamente se sintió feliz al lado de su marido.

A primera vista parece que la escena del suspiro de Tucapel se inspira en aquel conocido pasaje de la *Historia del Abencerraje y de la hermosa Jarifa*, en que el moro Abindarráez, estando al lado de su amada y en uno de los momentos más felices de su vida, dió un profundo suspiro al recordar que le había prometido a Rodrigo de Narváez, alcaide de Alora, que dentro de tres días volvería a ser su prisionero. [6] Pero el hecho del suspiro es poco significativo. Las causas del suspiro de Tucapel y Abindarráez son diferentes: uno suspira por reconocimiento y otro por preocupación. Puede que Oña tuviera presente el citado pasaje y que siguiendo su técnica cambiara los detalles. El caso es que estamos frente a uno de esos pasajes del *Arauco domado* en que con respecto a las fuentes no se puede probar nada. Así va Oña creciendo en nuestra estimación.

---

6 Ed. Menéndez y Pelayo, en *Orígenes de la novela*, II (1931), 377-378.

Pronto amaneció, y poco después de la salida del sol Gualeva vió venir por el pie de un alto monte un indio ensangrentado que apenas podía caminar (AD, 440). Cuando llegó a donde ellos estaban, reconocieron que era su amigo Talguén, a quien creían muerto. Tanta fué la alegría que tuvieron, que una vez juntos no se cansaban de abrazarlo y de hacerle mil preguntas.

Talguén se sentó entre Tucapel y Gualeva para contarles lo que le había sucedido después de la batalla de Penco. Pero antes de hacerlo les pidió que mientras él descansaba le dijeran cómo habían ido a ese lugar y cómo se habían defendido de la leona. Tomó la palabra Gualeva para que su marido no se fatigara y le contó todo lo que le había ocurrido a Tucapel, desde que salió del fuerte de Penco hasta el incidente de la leona. «Tras esto, Tucapel también le cuenta» (AD, 446) lo que a Gualeva le había acontecido en el camino con Rengo y Leucotón. Oña se vale de dichos relatos para recapitular la materia.

Aparte de los elementos comunes a toda obra del mismo género, elementos que Oña maneja con mano maestra, el episodio de Tucapel y Gualeva es muy original. Si en el episodio de Caupolicán y Fresia, Oña creó un paisaje de extraordinaria belleza, en el de Tucapel y Gualeva creó una mujer que se hace querer y admirar desde el momento en que aparece en escena. De todos los personajes del *Arauco domado*, Gualeva es la que se queda con el lector.

3. En la cabaña del pastor Guemapu

A la caída de la tarde, Tucapel, Gualeva y Talguén llegaron a la cabaña de unos pastores, los cuales «les dieron dulce albergue y acogida» (AD, 473). Los pastores tendieron tres blandas y lanosas pieles junto al fuego y les ofrecieron asiento: «Convídanles humildes con la cena, / que fué de un recental cabrito grueso, / con leche, requesón, cuajada y queso, / de que la ruda choza estaba llena» (AD, 473).

Cuando se levantó la mesa, «si puede ser el suelo levantado» (AD, 474), Talguén tomó la palabra en nombre de sus compañeros y le dió las gracias al mayoral de los pastores, deseándole que se multiplicara su ganado y que jamás le hiciera daño el carnicero lobo. Terminó pidiéndole que en lugar de sobrecena les dijera si la vida pastoril era buena y cómo era buena. Guemapu, que así se llamaba el mayoral, le respondió que la vida pastoril era la única que verdaderamente merecía el título de tal, la única sabrosa, pues todo cuanto tiene a vida sabe:

A vida sabe el són del caramillo
A sombra de la haya contemplando
Cual va la verde loma despojando
Del rico pasto el pobre ganadillo;
A vida ver tan lucio al cabritillo
Travieso con los otros retozando;
A vida ver los claros arroyuelos
Hacer al sol mil visos y espejuelos.

A vida sabe andar por la floresta,
Y entresacando della varias flores
De varios y finísimos colores,
Tejer una guirnalda bien compuesta;
A más que vida sabe allá en la siesta
Decir a la zagala sus amores,
Vencelle los garzones en la lucha,
Cazalle la perdiz, pescar la trucha. . . .

Aquí no llega el fasto ni la pompa,
No cabe aquí soberbia ni cudicia;
Aquí no tiene entrada la malicia,
Que nuestros simples ánimos corrompa;
Aquí no suena pífaro ni trompa,
Perturbadora voz de la milicia;
Que nunca el manso Pan, custodio nuestro,
Gustó del iracundo Marte vuestro. (AD, 475-476)

Tucapel, que había escuchado con ceño adusto el discurso de Guemapu, dijo que el hombre que alababa la vida pastoril no tenía corazón que valiera un clavo. Le reprochó a Talguén que hubiera tolerado que se elogiara «la vida que jamás a guerra sabe» (AD, 477). En contestación directa a Guemapu, usando el mismo estribillo «a vida sabe», Tucapel hizo el elogio de la vida militar:

> A vida sabe, al gusto no estragado,
> Arderse en un furor de viva saña
> Y revolver la rígida guadaña
> En medio del palenque y estacado;
> A vida sabe el són de Marte airado
> Y ver nadar en sangre la campaña;
> A vida sabe y dulce vida encierra
> Perdella por la patria en justa guerra.
>
> Igual, por cierto, fuera que esta gente
> De tan inútil vida se dejara
> Y de abultar siquiera aprovechara
> Al belicoso ejército potente;
> Que lo demás es cosa impertinente,
> Porque el ganado, él solo se guardara,
> O cuando no, común a todos fuera,
> Teniendo más en él quien más pudiera. (AD, 477)

En tanto que esto decía Tucapel, mostraba un gesto tan feroz e infundió tal temor en sus oyentes que ninguno se atrevió a decir palabra. A fin de evitar un incidente desagradable, Talguén cambió la conversación, y acordándose de Quidora, su mujer, dió por ella un íntimo suspiro (AD, 478).

Los temas que Oña desarrolla en esta escena de sobremesa, el elogio de la vida pastoril y el de la vida militar, son de antiguo abolengo y tienen ramificaciones muy diversas. Sería por lo tanto aventurado siquiera tratar de averiguar en qué obra se inspiró Oña. Lo que nos interesa observar es que el mencionado pasaje es uno de los buenos del *Arauco domado*.

Quidora, cuyo nombre fué inventado por Oña, al saber la derrota sufrida por los araucanos en Penco, partió desesperada «en busca de Talguén su dulce amante» (AD, 253). Lo buscó sin éxito durante toda la noche. Al amanecer llegó a la cabaña del pastor Guemapu, tan triste y cansada que no pudo tomar bocado. Se arrojó detrás de la puerta y se quedó profundamente dormida. Diez horas hacía que estaba durmiendo cuando la descubrieron Talguén, Tucapel y Gualeva. Talguén fué el primero que la vió:

> Sobre el derecho lado recostada,
> Y la siniestra en jaspe traducida,
> Por el siniestro músculo tendida,
> Sirviéndole la diestra de almohada;
> Su faz de nieve y púrpura bañada,
> La ropa honestamente recogida,
> Y el sitio lagrimado por su dueño,
> Estaba sumergida en alto sueño.
>
> Su negro y sutilísimo cabello
> Por la cerviz abajo se esparcía,
> Que rasgos airosísimos hacía
> En el papel bruñido de su cuello,
> Tan albo y transparente, que el resuello
> Al caminar por él se traslucía,
> Y aun era necesario traslucirse
> Para que así pudiera percebirse. . . .
>
> Suspéndense de ver su traza bella
> Los valerosos súbditos de Marte,
> Y el rústico pastor por otra parte
> Astrólogo se hace de esta estrella. (AD, 484-485)

Esta escena es muy parecida, en general, a la de la pastora Belisa en la choza de la isleta, que Jorge de Montemayor describe en el libro tercero de su *Diana*, y que en parte dice así: «Las ninfas y los pastores . . . entraron en la choza: y mirando a una parte y a otra, vieron a un rincón . . . una pastora durmiendo, cuya hermosura no menos admiración les puso, que si la hermosa Diana vieran delante de sus ojos . . . Tenía los cabellos, que más rubios que el sol parecían, sueltos y sin orden . . . Según parecía por muchas lágrimas, que aun durmiendo por sus hermosas mejillas derramaba, no le debía el sueño impedir sus tristes imaginaciones. Las ninfas y pastores estaban tan admirados de su hermosura y de la tristeza que en ella conocían, que no sabían qué se decir». [7]

Si Oña tuvo presente el citado pasaje de Montemayor, cosa que no podemos probar aunque se adviertan coincidencias evidentes y características, se observa que a diferencia de Belisa, el cabello de Quidora es negro y está como recién peinado, y que Oña describe con abundancia de detalles la belleza de Quidora, con marcado énfasis en la blancura del cutis.

Cuando despertó Quidora tuvo la sorpresa más grande de su vida al ver allí a Talguén. Sin poder hablarse, Quidora y Talguén se unieron en afectuosos abrazos:

> Con vínculos recíprocos se traban
> El pecho de alabastro y de diamante,
> El de Quidora, digo, y de su amante,
> Y con gozosas lágrimas los lavan;
> De darse dulces ósculos no acaban
> Por todos los espacios del semblante,
> Ni de cruzar encima de los cuellos
> Los rostros, y aun las ánimas con ellos. (AD, 489)

Al cabo de un rato Talguén y Quidora recobran la calma y empiezan a decirse tiernas palabras sobre la buena suerte que han tenido al encontrarse. Gualeva abraza a Quidora, y ambas se reiteran sus lazos de amistad. Tuca-

---

7 Ed. Menéndez y Pelayo, en *Orígenes de la novela*, II (1931), 347-348.

pel, «aunque es de condición esquiva y fiera» (AD, 490), también quisiera abrazarla. Se contiene porque su mujer es muy celosa, y se limita a decirle desde lejos: «Con tal que así te hallásemos, Quidora, / yo digo que te pierdas cada hora» (AD, 491). Luego salieron de la cabaña, se sentaron junto al fuego y persuadieron a Quidora que cenara, pues no había comido en todo el día. Allí Quidora y Talguén contaron, sucesivamente, todo lo que les había sucedido desde la última vez que se vieron.

La escena del encuentro de Talguén y Quidora y la que tiene lugar junto al fuego son características de la novela pastoril, y por lo tanto es muy difícil señalarles fuentes concretas.

A petición del auditorio (AD, 495), Quidora les contó el largo sueño que había tenido sobre el gobierno de don García como virrey del Perú, la rebelión de Quito y la expedición que dicho gobernante envió para que la pacificara. Terminó relatando el enigma del dragón y del león (AD, 578), es decir, el arribo del pirata inglés Richarte Aquines a Valparaíso y la expedición naval que don García despachó contra él a cargo de don Beltrán de Castro y de la Cueva.

Entretanto había llegado a la cabaña el indio Pilcotur (AD, 585), que por orden de Caupolicán iba en busca de Tucapel y Talguén para continuar la guerra. Pilcotur les contó el fin que tuvo la batalla de Biobío, el discurso de Galbarino ante el senado araucano, el origen misterioso del joven Molchén, sus excelentes cualidades de soldado y de carácter, etc.

El relato del sueño de Quidora y lo que refiere Pilcotur pertenecen a los hechos históricos. Tal vez convendría observar que todo lo que ocurre desde que Gualeva salió en busca de Tucapel hasta el fin de las escenas en la cabaña del pastor Guemapu se desarrolla dentro de unas 48 horas.

Al analizar los diversos episodios que hemos estudiado en el presente capítulo nos parecía que sus fuentes se hallaban en tal o cual obra, pero al cotejar los pasajes correspondientes resultó casi siempre que no había nada concreto respecto a la concordancia de los textos. Las semejanzas eran a veces de tema y en la mayoría de los casos sólo de ambiente. Como el propósito de nuestro trabajo no se limita a las fuentes del poema, asunto harto difícil y lleno de encrucijadas, sea nuestra contribución lo que hemos podido hacer, y quede a manos más expertas el ahondar en la materia.

Finalmente diremos que del estudio de los hechos literarios del *Arauco domado* se deduce que en cuanto a sus fuentes Oña no sigue a nadie en particular. Toma su material de aquí y de allí, selecciona lo que le interesa, lo combina como mejor le parece y compone episodios y escenas muy originales. Este es, por lo demás, el método empleado por los grandes escritores. Error grave cometen, pues, los que sin mayor estudio ni reflexión califican el *Arauco domado* como una una simple imitación de *La Araucana.*

VI

LOS MATERIALES

1. La tierra

Al estudiar la tierra, lo primero que observamos es que Oña en general es muy parco en cuanto a los detalles geográficos. Se limita a lo estrictamente necesario para la comprensión de lo que canta. Así tenemos, por ejemplo, que a pesar de que la acción del poema abarca casi todo lo que era el extenso virreinato del Perú, Oña no dice nada sobre la variada y pintoresca configuración del terreno. Ercilla, en cambio, nos da una visión muy objetiva de esos lugares, en lo cual se revela más descriptivo que Oña. Por ejemplo, cuando navegaba por la costa del Perú en su viaje a Chile, escribe:

¿Que haya en Pirú, no es caso soberano,
Tanta mudanza en tres leguas de tierra,
Que cuando es en los llanos el verano
Los montes el lluvioso invierno cierra?
Y cuando espesa niebla cubre el llano
En descubierto hiere el sol la sierra,
Y por esta razón van más crecientes
En el verano abajo las vertientes. (LA, 221)

La ciudad que más se menciona en el *Arauco domado* es Lima, por otro nombre, la Ciudad de los Reyes. Oña la recuerda con palabras elogiosas, llamándola, por ejemplo: «Un próspero lugar, de los mejores / que cubre el ancho cóncavo del cielo» (AD, 45). Ercilla también tuvo para ella frases de alabanza: «Y la ciudad insigne de los Reyes, / silla de las audiencias y virreyes» (LA, 448).

Versos de caluroso encomio le dedica Oña a la ciudad de la Serena:

> Entrado en la ciudad de la Serena
> El escogido tercio y nueva copia,
> Conoce cada cual por casa propia,
> Según se ve tratar, la que es ajena;
> Es tan cumplida gente, honrosa y buena,
> Que tiene por afrenta y cosa impropia
> No ser en su hospedaje el hospedado
> Todo lo de potencia regalado. (AD, 101)

Este elogio que hace Oña de la Serena se basa en *La Araucana*. Ercilla, refiriéndose al mismo punto había escrito: «Y a la nueva ciudad de la Serena / que es dos leguas del puerto caminamos / . . . donde un caricioso acogimiento / a todos nos hicieron y hospedaje» (LA, 252). La Serena fué fundada por orden de Pedro de Valdivia el año 1544, en el valle de Coquimbo, sesenta leguas al norte de Santiago.[1] Valdivia la «llamó la Serena, por ser él natural de la Serena» (LA, p. XIX), provincia de Badajoz, España.

Santiago de Chile figura en el *Arauco domado* como una de las ciudades más viciosas y depravadas. Oña la ataca sin piedad: «Albergue de holgazanes y baldíos, / adonde el vicio a sus anchuras mora, / y tierra do se come el dulce loto, / que al filo de la guerra tiene boto» (AD, 117).

> Es la vadosa sirte donde encallan
> O todos o los más gobernadores,
> Y adonde, por hablar cosas de amores,
> Las del guerrero adúltero se callan;
> Do, como la dulzaina y rabel hallan,
> No quieren són de trompa ni atambores,
> Ni dar en cambio y trueque de una vela,
> Amanecer dos mil en centinela.

1 López de Velasco, *Geografía de las Indias*, 523.

Es una Circe pésima que encanta
Y en animales sórdidos transforma;
Es la cadena, grillo, cepo y corma
Que el brío y fuerza bélica quebranta;
Es la sirena mélode que canta,
De quien sagaz el Ítaco se informa,
Y atado al mástil, oye desde afuera,
Ensordesciendo a los demás con cera. (AD, 118)

Lo que Oña dice de Santiago carece de fundamento histórico, especialmente el que haya sido «la vadosa sirte donde encallan / o todos o los más gobernadores» (AD, 118). El único gobernador de Chile anterior a don García fué Valdivia, y mal puede decirse de él que haya encallado en Santiago. [2] ¿Por qué, entonces, trata Oña de esa manera a la capital de su patria? La explicación es difícil. Nuestra opinión es que todos esos baldones no son más que figuras poéticas enderezadas a realzar la personalidad moral del héroe del poema. Ponderando las virtudes de don García por boca de Plutón, Oña dice: «Pues ya si por deleites sensuales / quisiésemos entralle blandamente, / ¿no vistes cuál huyó tan cautamente / del Mapochó vicioso los umbrales?» (AD, 156).

La ciudad de Quito se nombra muchas veces en el *Arauco domado* con motivo del episodio de las alcabalas. Sin embargo, el único detalle que da Oña es que está muy apartada de Lima: «Allá el remoto Quito se alteraba / sobre pagar lo justo que debía» (AD, 502). Ercilla, por lo menos indica su ubicación: «Popayán, Pasto y Quito, que vecina / está a la equinocial línea templada» (LA, 448).

Oña menciona varios puertos en la costa del Pacífico, pero como en el caso de las ciudades, tampoco entra en detalles. De norte a sur tenemos:

---

2 Cf. Thayer Ojeda, *Ensayo crítico*, 420-424.

Tacámez les descubre su bahía,
De entonces para siempre celebrada. (AD, 671)

Mas que, necesitado, a rienda suelta
Al fresco *Guayaquil* diese la vuelta. (AD, 539)

En el *Callao*, de naves dulce abrigo,
Tres hombres hechos cuartos perecieron. (AD, 521)

Hasta llegar a *Chincha*, que es paraje
De Lima treinta leguas apartado. (AD, 653)

De cómo había el cosario parecido
Mostrando sobre *Arica* su potencia. (AD, 650)

De las hinchadas velas, que asomando
Al puerto de *Cuoquimbo* van entrando. (AD, 95)

Que pueda en un pataj *Valparaíso*
Enviar quinientas leguas el aviso. (AD, 615)

Todos estos puertos, con la excepción de Tacámez, figuran en *La Araucana*, y con algunos datos descriptivos, por ejemplo: «Vees Guayaquil, que abunda de madera / por sus espesos montes y sombríos» (LA, 448).

Los ríos principales que se mencionan en el *Arauco domado* son tres: el Lima o Rímac «que Lima con sus ondas atraviesa» (AD, 45); el Maule, «río caudaloso, que dista cuarenta leguas de Sanctiago» (AD, 686) al sur, y el «río grande de Biobío» (AD, 343) que separaba el territorio araucano del resto de Chile. Ercilla habla también de dichos ríos, excepto del Lima o Rímac. Por ejemplo, al cantar la partida de Penco para Arauco, dice: «Súbito las escuadras presurosas / con grande alarde y con gallardo brío / marchan a las riberas arenosas / del ancho y caudaloso Biobío» (LA, 353).

¿Qué anchura tiene el Biobío en el sitio por donde lo cruzó el ejército de don García? Ercilla, que iba con él, no lo dice. Oña la indica en la forma siguiente: «El agua, que las márgenes desvía, / de latitud alcanza tanta parte, / que puesto un grueso toro a la otra parte, / casi de sí ninguna especie envía» (AD, 347). Pero ¿qué quieren decir estos versos? Medina, en su edición del *Arauco domado* anota: «O *toro* tiene aquí algún significado que no alcanzo, o la comparación es demasiado alambicada, sobre todo si *especie* está tomado por *bramido*» (p. 347, nota 11).

Nuestra interpretación es que Oña quiso significar que el Biobío es allí tan ancho que si se pone un grueso toro en la ribera del sur, mirado desde la del norte, casi no se distingue. En todo caso, don García aclara el punto en su «Relación» del 24 de enero de 1558, ya citada: «Hice echar una barca en un río muy grande, que tiene dos leguas de ancho» (en Medina, *Colección*, XXVIII, 144).

Oña dedica bastante espacio a la isla de Talcaguano, y todo para difamarla, por ejemplo:

> No sólo tiene falta de frutales
> Adonde la silvestre fruta crece,
> Mas aun de los estériles carece,
> Ora plantados, ora naturales;
> Ni allí se ven humildes matorrales,
> Ni yerba levantada se parece,
> Sino tan raso todo a la redonda
> Que no hay adonde un pájaro se esconda.
>
> Es infecundo el sitio de manera,
> Que Chile puede bien llamarle ajeno,
> Y si es lugar legítimo chileno,
> De su prosapia fértil degenera. (AD, 143)

La descripción que hace Oña de la isla de Talcaguano, sólo en el énfasis se diferencia de la opinión que de ella tenía Ercilla, quien la llama «el yermo y descubierto asiento» (LA, 271).

Tanta es la esterilidad de la isla que no produce nada «que sirva de refresco a la comida» (AD, 143), ni siquiera leña para guisarla. Hallóse en cambio gran cantidad «de un género de piedra encarrujada; / la cual, una con otra golpeada, / produce vivo fuego, y lo conserva, / sin que se mate en más de mediodía, / que tanto tiempo en sí lo ceba y cría» (AD, 144). El detalle de la falta de leña y el del carbón de piedra, los tomó Oña del siguiente pasaje de Mariño de Lobera: «No hallaron los nuestros en esta isla alguna leña, de que poder servirse; pero como la providencia del Señor es en todo tan copiosa, . . . ha proveído a esta isla de cierta especie de piedras, que sirven de carbón, y suplen totalmente sus efectos, y de éstas se sirvieron los nuestros para sus guisados» (*Crónica*, 199).

La isla de Talcaguano se halla a la entrada de la bahía del mismo nombre. «Tiene cinco kilómetros de largo por dos y medio de ancho y una altitud de 128 metros que alcanza por su medianía».[3] El nombre de Talcaguano «trae su origen de un poderoso cacique que fué dueño de estos contornos en la época de la conquista».[4] Oña no dice nada de ese cacique; pero Ercilla lo recuerda en varios pasajes de su poema, por ejemplo, al describir la revista que Caupolicán pasó a sus huestes cuando don García se preparaba para cruzar el Biobío (LA, 349).

Las medidas itinerarias que se usan en el *Arauco domado* son la legua y la milla. La legua, por lo común en las distancias largas: «Del rebelado asiento treinta leguas» (AD, 540), y la milla sólo en las cortas:« Y habiendo media milla caminado» (AD, 353). En *La Araucana*, la legua y la milla se emplean indistintamente tanto para las distancias largas como para las cortas: «Veinte leguas contienen sus mojones» (LA, 5); «Cien millas, por lo más ancho tomado» (LA, 3); «Dos millas poco más de nuestro asiento» (LA, 287), etc.

---

3 Espinoza, *Geografía de Chile*, 346.
4 *Ibid.*, 362.

2. *Los caballos*

Los caballos desempeñaron un papel muy importante en la conquista de América. Por esto se les estimaba casi tanto como a los mismos soldados. En la parte del *Arauco domado* que se refiere a Chile, Oña les dedica varios pasajes, unos para encarecer su necesidad y otros para hacer su elogio. Citaremos algunos ejemplos. Al describir los preparativos que se hacían en Lima para la campaña contra los araucanos, Oña escribe: «El bélico frisón se lozanea / del ronco tarantántara incitado, / y el polvo con la pata levantado / el espumoso rostro polvorea» (AD, 50). Una vez que la expedición estuvo lista, lo primero que se hizo fué despachar la caballería: «Julián, aquel famoso de Bastida, / se parte para Chile con la gente, / llevando los caballos juntamente, / por Atacama, costa desabrida» (AD, 56).

Tanta era la importancia que se atribuía a los caballos, que cuando don García pasó de la isla de Talcaguano a tierra firme con ciento ochenta soldados, Oña exclama: «Fué digna de su pecho tal hazaña / y de que se eternice entre la gente, / entrarse sin caballos libremente / hollando al enemigo la campaña» (AD, 146). Después de la batalla de Penco, Oña vuelve a encarecer la necesidad de los caballos: «Pues digo que en su muro nuestra gente, / habida ya la próspera vitoria, / quedó sin proseguir con el alcance,/ que estando a pie no fuera echar buen trance» (AD, 288).

Cuando don García supo que los araucanos se preparaban para atacar nuevamente el fuerte de Penco, se apresuró a pedir auxilio a los que iban con la caballería. He aquí cómo Oña describe el viaje del destacamento que le enviaban desde el Maule: «De cuatrocientos bélicos soldados / los ciento se adelantan orgullosos, / labrando los ijares cosquillosos / de fáciles caballos alentados» (AD,

308). Al acercarse a Penco: «Los unos se adelantan largo trecho, / sus ágiles caballos arrojando, / los otros por la playa los manijan, / y todos de tropel al muro aguijan» (AD, 311). Cuando llegan al fuerte: «Explícase la gente con razones, / las bestias con relinchos y bufidos, / tanto, que el aire lleno de algazara / rompiera si el placer no lo ensanchara» (AD, 311).

Ercilla también menciona los caballos a su paso por la Serena (LA, 251 y 252) y cuando llegaron a Penco (LA, 345), pero no con el énfasis que lo hace Oña.

En el canto noveno, al describir la revista militar de Penco, Oña escribe lo que bien pudiéramos llamar el elogio de los caballos. Antes de marchar para Arauco, don García mandó que la infantería y la caballería se formasen en un lugar de la playa y que todos, uno a uno pasaran frente a él, «y que después la banda caballera, / sin reservarse dellos hombre alguno, / probase en la marina sus caballos, / por ver los que supiesen manijallos» (AD, 319).

Oña se vale de esta revista para describir los más hermosos y variados tipos de caballos. Veamos en primer lugar el del gobernador de Chile en el momento en que aparece para presenciar el alarde:

> Sobre un caballo *rucio*, poderoso,
> De rodezuelas cárdenas manchado,
> Que por el firme rostro y enarcado
> Cuello, sacude anhélito espumoso,
> Midiendo con las manos de fogoso
> Lo que desde las cinchas hay al prado,
> Y tanto en los metidos pies estriba,
> Que todo sobre el anca se derriba. (AD, 317)

Don García toma colocación junto al mar y empieza el desfile. He aquí algunos de los capitanes que pasan en revista: Alonso de Reinoso, «en *alazán* de huello tan liviano, / que en resurtir del suelo con la mano / eccede a la recíproca pelota» (AD, 330); Lorenzo Bernal de Mercado, «y haciendo a un *alazán tostado* el pelo / que sólo con los pies estampe el suelo» (AD, 333); Pedro de Aguayo, «a la jineta en un castizo *bayo*, / que al mar y al aire altera su bufido, / y con oreja viva punza el cielo, / barriendo con la cola todo el suelo» (AD, 321); Martín Ruiz de Gamboa, «en *bayo cabos negros y frontino*, / que el freno espumosísimo tascando / de todos cuatro pies se va quemando» (AD, 333).

Rodrigo de Quiroga, «con silla tachonada en un *castaño* / feroz, que en arrimándole el calcaño, / parece convertirse en vivo fuego» (AD, 327); Don Pedro Mariño de Lobera, «encima de un *dorado castañuelo*, / que huella el aire vano más que el suelo, / y apenas cabe en toda la ribera» (AD, 328); Pedro de Murguía, «en hacedor *cuatralbo lista blanca*, / que la marina besa con el anca / y con las manos de ella se desvía» (AD, 330); Lope Ruiz de Gamboa, «en un cuartago *negro* más que endrina, / con el copete, cola y clin tranzada, / el pecho y la cadera encubertada, / va Lope Ruiz hundiendo la marina» (AD, 335).

Como estos capitanes desfilan los siguientes: Gaspar y Baltasar Verdugo, en dos caballos *cándidos* (AD, 327); Julián de Bastidas, en un *frisón melado* (AD, 325); Gabriel de Villagrán, en un *morcillo* (AD, 326); Don Pedro de Portugal, en un *overo* (AD, 321); Juan Ramón, en un *peceño* (AD, 320); Don Alonso Pacheco, en un *picazo* (AD, 324); Don Luis de Toledo, en un *rabicano* (AD, 320); Don Cristóbal de la Cueva, en un *rosillo* (AD, 322); Pedro de Olmos Aguilera, en un *rucio plateado* (AD, 334); Don Miguel de Velasco, en un *sabino* (AD, 327); Don Felipe de Mendoza, en un *tordillo* (AD, 322); y Gómez de Lagos, en un *zaino* (AD, 329).

Desconocemos las fuentes que Oña utilizó para la composición del pasaje que acabamos de analizar. Por lo tanto, ignoramos si los caballos allí mencionados corresponden o no, a las personas que con ellos se nombran.

Finalmente diremos que los caballos no sólo fueron de gran utilidad para la conquista de América, sino también para su defensa contra los piratas. Oña cuenta que en 1594 Richarte Aquines, después de haber pasado por Arica, no se atrevió a desembarcar porque vió que la costa estaba alerta: «Y gente de a caballo por la playa, / que es la que a los cosarios más desmaya» (AD, 653).

3. *Las armas y otros materiales*

Los españoles usaban armas de fuego y armas blancas. Las armas de fuego que se mencionan en la campaña de Arauco son la artillería y el arcabuz. La artillería se usó con mucho éxito en la expedición de don García. A ella se debió en gran parte el éxito de su empresa. En Penco, por ejemplo, fué la artillería lo que hizo que los españoles lograran repeler a los araucanos: «Seis piezas, como dije, de campaña / el adivino joven puesto había, / que fueron casi todo el instrumento / para que se cantase el vencimiento» (AD, 182).

Si la batalla de Penco la decidió la artillería, la de Biobío en cambio fué ganada gracias al arcabuz. Cuando los araucanos se retiraron a una laguna pantanosa para librarse de la caballería, los arcabuceros les disparaban directamente a la cabeza: «Y aunque entre el agua esconden frente y pelos, / al fin, para salvarse, todo es nada, / pues bien no se descubre un dedo dellas / cuando la dura bala está con ellas» (AD, 399).

En la expedición contra Richarte Aquines, además del cañón y del arcabuz, los españoles usaron la culebrina: «Cargando una disforme *culebrina*» (AD, 679); el mosquete: «Todos con arcabuces y *mosquetes*» (AD, 633); y el verso: «Con *versos*, no por número hinchados» (AD, 673). El verso según el léxico, era una «pieza ligera de artillería antigua, que en tamaño y calibre era la mitad de la culebrina» (ed. 1936).

En la guerra contra los araucanos, los españoles usaron las siguientes armas blancas: la lanza: «A cuya *lanza* tanto el puño afierra» (AD, 221); la espada: «Firme la *espada* rígida en la diestra» (AD, 189); la daga: «Do echando una luciente *daga* fuera» (AD, 224); y la pica: «Hiciéronse a una banda los *piqueros*» (AD, 339).

Las armas defensivas de los españoles eran el escudo: «Y el acerado *escudo* en la siniestra» (AD, 189); la celada: «Y tanto, que con dar en la *celada*» (AD, 183); la coraza: «De una *coraza* fuerte sale armado» (AD, 321); el yelmo: «Y de templado *yelmo* su ancha frente» (AD, 322), etc.

Las armas ofensivas más comunes de los araucanos eran tres: la flecha: «Pero tras ellos tanta *flecha* llueve» (AD, 356); la pica: «Se valen de las *picas* prolongadas» (AD, 185); la maza: «Que a mí la *maza* y brazo me asegura» (AD, 94). Usaban también la macana: «Y vieren que revuelve la *macana*» (AD, 81); el dardo: «Ya el *dardo* arrojadizo desembraza» (AD, 191); la honda: «Al estallido espeso de las *hondas*» (AD, 191), etc. De estas armas, Ercilla nombra el dardo, la flecha, la maza y la pica (LA, 6).

Es cosa sabida que los araucanos no usaban armas defensivas como los españoles, por lo menos en los primeros tiempos de la guerra. En los casos en que Oña se las atribuye, entiéndase que se trata sólo de figuras poéticas. Así, por ejemplo, al describir a Caupolicán en el momento de entrar en combate: «Del hombro solamente a la cintura/ de un grueso *coselete* viene armado, / y lo demás del cuerpo desarmado, / que su reputación se lo asegura» (AD, 233). O cuando presenta a Tucapel: «De pies sobre la cerca y palizada, / . . . armado un *peto* doble de su abuelo, / y una marina concha por *celada*» (AD, 188).

A este respecto, figuras poéticas son también las que usa Ercilla en la octava siguiente:

Tienen fuertes y dobles *coseletes*,
Arma común a todos los soldados,
Y otros a la manera de *sayetes*,
Que son, aunque modernos, más usados:
Grevas, brazales, golas, capacetes
De diversas hechuras encajados,
Hechos de piel curtida, y duro cuero,
Que no basta ofenderle el fino acero. (LA, 7)

Con la excepción de la *capa*, Oña no dice nada de la indumentaria de los españoles. La capa se menciona cuando don García recompensa al indio Puchelco por haberle avisado que los araucanos se preparaban para atacar nuevamente el fuerte de Penco: «Dos *capas* le hace dar de fina grana, / aquélla guarnecida y ésta llana» (AD, 305).

En cuanto al vestido de los araucanos, la información que hallamos en el poema es también muy escasa. Se nombran la manta y las ojotas cuando el indio Pilcotur llega a la cabaña del pastor Guemapu: «Con su listada *manta* retorcida, / atravesada al cuerpo deste el cuello, / y de sudor brotando gruesas gotas, / que corren de la frente a las *ojotas*» (AD, 584).

Por lo que toca al traje de las indias, sólo de sus adornos habla Oña: «Adórnanse de *güinchas* y de *llautos*, / con piedras que deslumbran quien las mira, / y con azules vueltas de *chaquira* / hacen mil contenencias y más autos» (AD, 73). El llauto y la chaquira, según Ercilla, eran prendas muy estimadas por los araucanos: «Le dió un lucido llauto de oro puro / y un grueso mazo de chaquira prima, / cosa entre ellos tenida en grande estima» (LA, 505).

El único detalle que hay en el *Arauco domado* acerca del alimento de los españoles, lo da Oña al relatar las penurias que sufrían en la isla de Talcaguano: «Lo más de su corpóreo nutrimento / es húmida semilla mareada» (AD, 142). Esta semilla mareada era el trigo y el maíz que habían logrado salvar de la tormenta. El dato del maíz es de la cosecha de Oña, pues Ercilla, en quien se basa, menciona sólo el trigo: «Quien fuego enciende, y en el casco usado / tuesta el húmido trigo mareado» (LA, 270).

Oña trata de las «comidas propias de los indios» (AD, 474) cuando habla de la generosidad que Guemapu y sus pastores dispensaron a Tucapel, Gualeva y Talguén durante la cena: «Sacáronles *piñones*, *avellanas*, / *frutilla* seca, *madi* enharinado, / *maíz* por las pastoras confitado / al fuego con arena en las callanas» (AD, 474).

En seguida nos dice cuáles eran sus bebidas y en qué las bebían: «Y en *copas de madera* no medianas / les dan licor de *molle* regalado, / *muday*, *pérper* y el *ulpo*, su bebida, / que sirve juntamente de comida» (AD, 474). El molle, el muday y el pérper son bebidas alcohólicas que se conocían con el nombre genérico de chicha, a la cual los araucanos eran muy aficionados:

> Pues no hay azar tan grande ni desdicha
> Que no la pasen ellos con la *chicha*. (AD, 71)

VII

COSTUMBRES Y CREENCIAS POPULARES

1. Costumbres de los araucanos

Muy escasos son los datos que nos da Oña acerca de las costumbres de los personajes del *Arauco domado.* Y no podía ser de otra manera tratándose de un poema dedicado a cantar hechos de armas. Nada indica del modo de vivir de los españoles. Respecto a los araucanos, en el canto segundo refiere Oña que cuando los indios notaban alguna declinación en su suerte, se reunían en borrachera general para consultar a sus agoreros sobre lo que les reservaba el futuro. Estas borracheras duraban por lo común siete u ocho días y se celebraban dentro de una plácida floresta:

Allí con duro y áspero tumulto,
Con sordo susurrar y són disforme...
Uno martilla el ronco tamborino,
Otro por flauta el hueso humano toca,
Otro subido en un horcón invoca
A su Pillán, espíritu malino. (AD, 71)

Mientras los hechiceros ponían en juego sus artes mágicas para predecir el futuro, los indios se entretenían con toda clase de diversiones, de las cuales la principal era embriagarse. Bebían con tal ansiedad que el vino no se les apartaba un punto de la boca. En consecuencia, pronto estaban tan ebrios que a unos se les nublaba la vista, a otros les bamboleaba el cuerpo, a otros casi se les caía la cabeza de pesada, y otros con la lengua embotada lanzaban ferocísimas bravatas. En sus borracheras se entregaban a «todos los siete vicios capitales» (AD, 74).

La costumbre de los araucanos de juntarse en borrachera general para consultar a sus agoreros o para celebrar hechos de importancia, se halla mencionada en varios pasajes de *La Araucana*. En el canto primero, por ejemplo, Ercilla escribe: «De consejo y acuerdo una manera / tienen de tiempo antiguo acostumbrada; / que es hacer un convite y borrachera / cuando sucede cosa señalada» (LA, 9). La diferencia fundamental entre ambos poetas al tratar este punto consiste en que Ercilla lo cita como de paso y Oña lo amplía con detalles de su observación personal, por ejemplo, cuando describe los borrachos e indica el tiempo que duraban las borracheras.

Los bailes con que los araucanos se divertían en estas reuniones eran de tres tipos. El primero lo ejecutaban en corros y enlazados por los dedos:

> De trecho a trecho en corros se congregan,
> El hombre y la mujer interpolados,
> Y todos por los dedos enlazados
> Cabezas, pies ni bocas no sosiegan;
> Ya corren, ya se apartan, ya se llegan,
> Atrás, hacia delante y por los lados,
> Con un compás flemático y terrible,
> Confuso y ronco són desapacible. (AD, 72)

Este baile nos recuerda el que describe Bartolomé de las Casas en su *Apologética historia de las Indias* al tratar de las costumbres de los habitantes de Paria. Dice las Casas, por ejemplo, que los indios amaban en extremo los cantos y bailes, que «andaban todos cantando, a la redonda yendo y viniendo, las manos de los unos con las de los otros juntas, dando mil saltos y haciendo mil gestos». [1]

El segundo tipo lo bailaban con las manos libres al són de calabazos:

---

1 Ed. M. Serrano y Sanz, «Historiadores de Indias», I, Madrid, 1909, (N.B.A.E., vol. 13), p. 640, col. 1.

Suelen bailar también de otra manera,
Y es, que las manos libres y los brazos
Sacuden unos huecos calabazos
Do tiene de sus guijas la ribera;
Y al gusto desta música grosera
Están los más haciéndose pedazos,
Sin recebir por ello más tormento
Que si éste fuera el órfico instrumento. (AD, 72)

El tercer tipo era sólo para las mujeres y sus hijuelos:

Otras mujeres solas, en cuadrilla
Andan con sus hijuelos dando vueltas,
Todas en bacanal furor envueltas,
Desnudo el medio pecho y la rodilla,
Al modo que las yeguas en la trilla
Con sus potrancas chúcaras a vueltas
Por la colmada parva escaramuzan
Y en granos las espigas desmenuzan. (AD, 73)

De estos tres tipos de bailes que Oña describe con tanto donaire, Ercilla sólo alude al primero. Al referir una fiesta de los araucanos cuenta que después de comer se pasaron el resto del día en regocijos, «tegiendo en corros danzas siempre usadas, / donde un número grande intervenía / de mozos y mujeres festejadas» (LA, 179).

Los araucanos, según Oña, no hacen la guerra durante el invierno, excepto en casos de extrema necesidad. En la estación de los fríos dejan las armas y se recogen a su galpón de paja o rudo rancho, donde lo único que les preocupa es tratar de calentarse junto al fuego. Allí lo pasan «hasta que viene el tiempo del estío, / con que entran en calor, esfuerzo y brío» (AD, 139). Este hábito de los indios se halla confirmado por Ercilla en el canto noveno de su poema. Le dedica cuatro octavas, la última de las cuales empieza así: «Luego a furor movidos los guerreros / toman las armas, dejan el reposo» (LA, 140).

Era costumbre de los araucanos, continúa Oña, aun en los tiempos en que él escribía el *Arauco domado,* que al entrar en batalla, las mujeres se quedasen a cierta distancia aguardando el resultado. Cuando los veían regresar salían a recibirlos «con sus pintados cántaros de vino» (AD, 242). Ercilla, en quien Oña basa dicha información, no menciona los «cántaros de vino». Asegura, en cambio, que las mujeres iban acompañando a sus maridos, que en los trances dudosos se quedaban paradas, y que si los enemigos eran vencidos, se lanzaban tras ellos, «haciéndolos morir de mil maneras» (LA, 161).

Finalmente Oña da un dato de su observación acerca de la manera de caminar de los araucanos cuando van de viaje. Dice que su paso es el medio trote, «al cual caminan todos largamente / tres veces cuatro leguas en un día» (AD, 584).

2. *Mitos y supersticiones*

En la junta y borrachera general de los araucanos que hemos mencionado al principio de este capítulo, cuando los magos estaban observando los astros con mayor atención, de repente pasó corriendo una raposa. Los indios se lanzaron tras ella, pero no pudieron alcanzarla. En vista de esto, los hechiceros se entregaron a tristes lamentaciones, porque según sus creencias, si la raposa se escapa viva indica mala suerte; en cambio, si logran cogerla y matarla, «sin miedo se pondrán a todo trance» (AD, 79).

La superstición más común y a la que los araucanos daban mayor importancia, era la creencia en la astrología. En la citada junta, después de haber observado minuciosamente la situación y el aspecto de los astros, los magos pronosticaron la fatal y súbita ruina de Arauco:

> ¡Ay tristes de nosotros, engañados
> Con la dichosa mal segura suerte!
> Que ya la inexorable y fiera muerte,
> Y la revolución de nuestros hados,

De prósperos en míseros trocados,
Quieren ejecutar castigo fuerte:
¡Guay, guay, amada patria, Arauco triste,
Cuán otro te verás del que te viste! (AD, 75)

Al oír tan serio vaticinio, los indios se quedaron absortos; pero luego les contestaron a los hechiceros que se alegraban de las dificultades que anunciaba el cielo, «pues cuanto más potente el enemigo, / tanto de más estima la victoria» (AD, 80). Habló entonces Tucapel, medio loco de rabia, y les dijo que era mentira lo que habían profetizado los nigromantes: «Que no hay estrellas, signos ni embarazos, / sino la pura fuerza de los brazos» (AD, 82).

La fuente en que Oña se inspiró para la composición de este episodio fué *La Araucana*. En el canto octavo, por ejemplo, al describir una junta de caciques convocada por Caupolicán, Ercilla cuenta que entre los concurrentes se hallaba un famoso hechicero llamado Puchecalco, el cual, lanzando un profundo suspiro e invocando la autoridad de Eponamón, les anunció que estaba dispuesto por el hado en forma irrevocable que en breve tiempo perderían su libertad: «Las estrellas, la luna, el sol lo afirman; / cien mil agüeros tristes lo confirman» (LA, 127).

El conjuro de Pillalonco. Al ver los hechiceros que los araucanos dudaban de su palabra, continúa Oña, les dijeron que ellos no hacían más que repetir lo que sabían de boca del gran Eponamón, a quien servían, y que si deseaban, lo llamarían para que confirmara en persona la veracidad de su pronóstico. Todos los indios estuvieron de acuerdo en que así se hiciera.

Para invocar a Eponamón, como ya se hacía de noche, los mágicos se metieron en un galpón grande y se pusieron en rueda. En medio de la rueda, después de haber alisado el suelo a soplos, plantaron una ramilla larga sin hojas, de cuya extrema punta que estaba arqueada, colgaron una vedija, «que es donde su Pillán se les encierra» (AD, 83):

> De tal superstición y extraño rito
> Usa la miserable gente vana,
> Y a la vedija va de buena gana
> El regidor perpetuo del Cocito;
> De suerte que, cual pece en el garlito,
> Le tienen con el átomo de lana,
> Porque le llevarán donde es llamado
> Con un hilito della maniatado. (AD, 83)

Una vez colgada la vedija, los magos iniciaron el conjuro con un susurro bajo y escabroso. Luego tomó la palabra su decano, cuyo nombre era Pillalonco, y con ronca voz empezó a invocar a Eponamón:

> A vos invoco, báratro profundo,
> Escuro centro y cóncavo del mundo. (AD, 87)

> A vos conjuro, bóveda tiznada,
> Humoso Flegetón, Estigio lago,
> Do bebe para siempre acedo trago
> La miserable gente condenada;
> A vos, sulfúrea tártara morada,
> Do hacen de las ánimas estrago,
> A vos, ¡oh Babilonia de tormento!
> Comprado por ilícito contento. (AD, 88)

Cuando Pillalonco terminó su invocación, que ocupa cinco octavas, todos se quedaron escuchando con profundo silencio y en completa quietud: «Así estuvieron casi una hora entera, / más pareciendo mármoles que gentes» (AD, 89). Viendo que Eponamón no venía y que ya se acercaba la mañana, Pillalonco empezó a invocarlo de nuevo. Después de reprocharle su tardanza, le amenazó con que si no se presentaba, él haría que sus discípulos respetasen «a la sacerdotal y sacra toga, / tomando sus consejos y doctrina» (AD, 90).

Apenas emitió Pillalonco estas palabras, oyeron un terrible terremoto, con un rumor y estruendo temerario (AD, 91). Al mismo tiempo se descargó una tempestad de lluvia y viento tan fuerte que parecía arrancar el rancho de su sitio: «Con esta majestad y pompa vino / el Rey que siempre está en región escura» (AD, 91). Eponamón tomó la vedija por su trono y les dijo que se había tardado en acudir, porque como estaba dispuesto por los hados que les viniera tanto mal y desconsuelo, él no había querido que se supiera de su boca. En seguida les anunció la venida de don García, quien los vencería y sometería a sus leyes, pero que después los trataría bien: «No dijo más, y a vista de la gente / con un terrible trueno y estallido / arranca en humo negro convertido, / dejando allí una bomba pestilente» (AD, 92).

Esto dejó helados y con mucho miedo a los araucanos. Cuando todo estuvo tranquilo y en sosiego, Rengo saltó furioso diciendo que era falso lo que había dicho Eponamón y que ellos le darían crédito sólo a lo que dijese en su favor. Con el ejemplo de Rengo, los demás indios también empezaron a bravear, entre ellos Tucapel, que desafiaba cuerpo a cuerpo a don García. Así braveando, gritando y desafiando estuvieron hasta que amaneció, cuando deshicieron la junta (AD, 94).

Los elementos básicos del conjuro de Pillalonco, con la excepción del de la vedija que es original de Oña, se hallan en diversos pasajes de *La Araucana*. Por ejemplo: la creencia de los indios en los hechiceros y en Eponamón (LA, 10-11); el aspecto físico de Pillalonco corresponde al del mágico Fitón (LA, 372); la manera en que Pillalonco invoca al demonio es idéntica a la de Fitón (LA, 383-384); en ambos poemas Eponamón se presenta en medio de una terrible tempestad y desaparece deshecho en humo (AD,

92 y LA, 137), etc. La contribución de Oña consiste, pues, en haber elaborado el material que halló disperso en *La Araucana*, tomando como punto céntrico del episodio un elemento nuevo, el de la vedija, y en haberlo escrito con verdadero arte dramático.

El mito del ibunché. Al describir el conjuro de Pillalonco, Oña refiere de paso el mito del ibunché. Dice que los araucanos construyen grandes cuevas reforzadas con maderos en hondos y secretos subterráneos, las cuales tapizan de abajo arriba «con todo el suelo en ámbito de esteras» (AD, 84), y adornan con cabezas horribles de animales salvajes. En estas cuevas, sobre unas andas, tienen el cadáver de una persona, al cual llaman ibunché: «Sin cosa de intestinos en el vientre / para que su Pillán más fácil entre» (AD, 84).

Cuando el dueño de la cueva y del ibunché quiere saber algo de importancia, entra con gran veneración, respeto y culto por una senda angosta y secreta para que no le sepan la guarida. Allí, invocado por el hechicero, acude Pillán y se mete en el cadáver del difunto, de donde responde a las preguntas que se le hacen: «Así de los negocios del Estado, / si sube o si declina de su punto; / como de los influjos celestiales, / de buenos y de malos temporales» (AD, 85). Si lo que los indios quieren saber es de muchísima importancia, a fin de tener al ídolo de su parte, en aquella oscura cueva degüellan y le ofrecen en sacrificio al hijuelo más amado o a la niña más hermosa (AD, 86).

Según Oña, los araucanos adoran al ibunché como si fuera un dios, por lo cual administran su rito con suma religiosidad. Sobre su existencia guardan tal secreto que no lo revelan ni aunque se les amenace con la muerte:

Algunos suelen confesar de plano
Haber el ibunché que les responde,
Pero si les pedís el sitio donde,
Se excusan remitiéndolo a Fulano;
Y así del uno al otro iréis en vano,
Que cada cual firmísimo lo esconde . . . (AD, 86)

Todo lo que Oña nos ha contado acerca del ibunché se basa en su experiencia personal con los araucanos. Esto es lo que él mismo dice en los versos siguientes: «Helo sabido yo de muchos dellos, / por ser en su país, mi patria amada, / y conocer su frasis, lengua y modo, / que para darme crédito es el todo» (AD, 85). La creencia en el mito del ibunché se conserva hasta hoy entre la gente del pueblo en Chile. Vicuña Cifuentes [2] ha recogido todas las versiones de este mito, así orales como escritas, pero ninguna de ellas es tan completa ni tan interesante como la que nos ha dejado Oña.

Superstición de la culebra. Después de la batalla de Penco, Talguén se fué muy herido y descorazonado en dirección del bosque, y al llegar la noche cayó al pie de un espino (AD, 453). Allí yacía Talguén cuando vió que una serpiente, con silbos temerosos, girando sobre la cola, con la cabeza levantada y moviendo rápidamente la lengua, se dirigía hacia él. Como se sentía tan enfermo no pudo moverse y tuvo que permanecer donde estaba, resignado a todo.

Luego que la serpiente estuvo próxima a Talguén, se tendió y arrastrándose mansamente se acercó a él con halagos y caricias. Después de pasearse por su cuerpo ensangrentado, lo circundó tres veces, tomó la postura en que había aparecido y se fué «silbando y sacudiendo cresta y

---

2 Julio Vicuña Cifuentes, *Mitos y supersticiones*, 3.ª ed., Santiago de Chile, Nascimento, 1947, p. 80-84.

frente, / y con su vibradora lengua esquiva / lanzando fuego y sangre por saliva» (AD, 455). Ante prodigio tan extraño, Talguén se quedó «gastando el pensamiento en mil quimeras» (AD, 456), pues según dice Oña en nota marginal, «es buen agüero entre los indios ver una culebra» (AD, 456).

Este episodio se basa principalmente en reminiscencias virgilianas. Por ejemplo, la actitud de la culebra al presentarse a Talguén es semejante a la de las dos serpientes de la isla de Ténedos que se le aparecieron a Laocoonte en Troya cuando estaba inmolando un toro a Neptuno (*Eneida*, lib. II, vs. 201-211); la mansedumbre con que la culebra se pasea por el cuerpo de Talguén es muy parecida a la de la culebra que vió Eneas al empezar su oración ante el sepulcro de Anquises en Sicilia (*Eneida*, lib. V, vs. 80-93); etc. La afirmación de que es buen agüero entre los araucanos ver una culebra no se halla confirmada por ningún otro escritor ni tenemos noticia alguna de que haya existido en la tradición oral chilena. Nos parece, por lo tanto, que se trata de una invención de Oña enderezada a darle color local al episodio.

A propósito de esta superstición, creemos pertinente recordar un pasaje de la *Apologética historia de las Indias* de las Casas, que bien pudo haberle servido a Oña como fuente de inspiración. En el cap. CII, «De algunos prodigios que se refieren de los falsos dioses», las Casas relata, basándose en Tito Livio, lib. X de la primera *Década* y IX de la tercera, que cuando los embajadores romanos que habían ido a la ciudad de Epidauro en solicitud de la milagrosa estatua de Esculapio fueron llevados al templo de éste, se les apareció allí «una gran culebra viva, la cual pocas veces habían visto los de Epidauro; pero ésas que la vieron siempre les había sucedido prosperidad y lo tenían por buen hado» (p. 272, col. 1).

3. Demonios y apariciones

En el reino de Plutón. Al ver Plutón que don García estaba fortificado en Penco, convocó sus tartáreas potestades a una junta general para tratar sobre la mejor manera de destruirlo. Con este objeto mandó que el Can Cerbero diera un baladro. «Y al són de aquella horrísona bocina» (AD, 150) acudieron los espíritus infernales, tratando cada cual por ser el primero en llegar.

Cuando todos los demonios estuvieron reunidos, «con duro aspecto y voz horrible y fiera» (AD, 154), Plutón les pronunció un largo discurso. En él les hizo ver el peligro en que se hallaban los araucanos con motivo de la llegada de don García, cuyo propósito era convertirlos al cristianismo; les relató las medidas que había tomado para hundir sus naves durante la navegación y el fracaso de ellas; les informó que el nuevo gobernador se hallaba en Penco con sólo un pequeño grupo de soldados, a pie, con hambre y sed, «atribulado, tímido y confuso» (AD, 158).

Añadió Plutón que allí era cosa fácil darle muerte, para lo cual había necesidad de que alguien le llevara el aviso a Caupolicán, con la recomendación de que si él en persona no podía dirigir el ataque, que por lo menos enviara la fuerza del Estado. Por último les preguntó quién quería tomar a su cargo empresa tan honrosa. Todos sus oyentes se ofrecieron a un tiempo para llevar el mensaje. Plutón, que bien los conocía, «sólo escogió a Megera, furia brava, / que sola para mucho más bastaba» (AD, 160).

El episodio de Plutón y sus demonios no figura en *La Araucana*. Oña lo concibió basándose pricipalmente en la *Jerusalén libertada*. En el canto IV, octavas 1-18, de esta obra el Tasso refiere que cuando Godofredo se preparaba para el asalto a la ciudad de Jerusalén, Plutón convocó los espíritus infernales a un concilio y que después de pronunciarles un discurso les ordenó que salieran a destruir todo el ejército de los cristianos. [3]

Pero el infierno del *Arauco domado* no se basa en la *Jerusalén libertada*, sino que en la *Eneida*, lib. VI. He aquí nuestras razones: los demonios que nombra el Tasso son pocos, y los de Oña, como los de Virgilio, muchos; el Tasso no menciona a Caronte, y Oña, como Virgilio, hace una descripción detallada de su aspecto físico; el Tasso no alude a ninguno de los jueces del infierno: Eaco, Minos y Radamanto, y Oña, como Virgilio, los cita a los tres, añadiendo que el que presidía era Radamanto: «Me importa declarar lo que sucede / allá en el tribunal de Radamanto» (AD, 150).

De manera que lo que Oña seleccionó de la *Jerusalén libertada* fué sólo la idea general del episodio, pues además de las diferencias de detalle, como las que acabamos de indicar, hay una de fondo: en el pasaje del Tasso son los demonios los que van a destruir a Godofredo, y en el de Oña, los araucanos los que asaltarán a don García.

Aparición de Megera a Caupolicán. Salió, pues, Megera del infierno con el mensaje de Plutón, cubierta de mil áspides «y envuelta en humo azul y rubia llama» (AD, 160), en busca de Caupolicán que a la sazón estaba recreándose en una floresta del valle de Elicura en compañía de su amada Fresia.

Al llegar a Elicura, Megera se transformó en una hermosa mujer y se presentó a Caupolicán. Le dijo que no era tiempo de darse a diversiones ni de rendirse al pie de las mujeres, pendiendo todo el reino de su mano, en momentos que los enemigos se hallaban en su tierra. Caupolicán y Fresia se quedaron atónitos al oír novedad tan pa-

3 Torquato Tasso, *Gerusalemme liberata*, «Scrittori d'Italia», vol. 130, Bari, 1930, p. 69-73.

vorosa. Para infundirles valor, Megera se arrancó dos víboras de la frente y se las escondió en el pecho, con lo cual ambos amantes empezaron a irritarse y a rabiar de tal manera que parecían dominados por un furor diabólico (AD, 176).

Acto seguido, Megera les refirió la llegada de don García a Chile, la situación en que se hallaba en Penco y el intento que llevaba de ser la confusión de Arauco. Finalmente le aconsejó a Caupolicán que atacara a don García antes de que le llegara el refuerzo que esperaba, que lo hiciera de sorpresa y a la brevedad posible. Terminada su misión, Megera se hizo invisible y regresó a los abismos (AD, 179).

Este episodio de la aparición de Megera a Caupolicán se inspira en dos pasajes del libro VII de la *Eneida*. En el primero de estos pasajes, por ejemplo, la furia Alecto, por orden de Juno, enemiga de Eneas, va a la morada de la reina Amata, esposa del rey Latino, y le arroja una culebra en lo más hondo de las entrañas para que hostigada por ella alborote el palacio (*Eneida*, lib. VII, vs. 341-372); en el segundo pasaje, Alecto toma la figura de una vieja, se presenta ante el joven Turno y lo incita a que marche contra los caudillos frigios, acampados en las márgenes del Tíber, y que les abrase sus naves (*Eneida*, lib. VII, vs. 154-434).

La aparición de Lautaro a Talguén. Al discutir la superstición de la culebra, página 183 del presente capítulo, vimos que Talguén estaba tendido al pie de un espino, tan enfermo que no podía ni moverse. Pues bien, seis horas hacía que se hallaba allí luchando con la muerte, cuando en el silencio de la media noche oyó un triste y profundísimo gemido que le dejó erizado todo el pelo, y de súbito se le apareció una sombra macabra: «Su boca, ya de lobo y más escura, / lanzaba espeso humo por aliento; / sudaba un engrosado humor sangriento / su laso cuerpo y lóbrega figura» (AD, 460).

Ante tal espectáculo, Talguén se cubrió de un sudor tan helado que le penetró hasta los huesos, le cuajó la sangre, le paralizó el cuerpo y lo dejó sin sentido (AD, 461). Vuelto en sí y pasado el susto del primer momento, aunque le parecía tener ante sus ojos a Lautaro, Talguén le preguntó a la sombra quién era. El espectro le contestó que él era en realidad Lautaro. Talguén se levantó entonces para abrazarlo, pero le fué imposible hacerlo: «Tres veces alargué mi cuello y brazos / para ceñir el suyo macilento, / mas tantas me dejó burlado el viento / y di a mi pecho inútiles abrazos» (AD, 462).

Al ver los esfuerzos que hacía Talguén para abrazarlo, Lautaro le dijo que no se cansara en vano, porque le era vedado al hombre vivo tratar de tal manera con el muerto. Luego se fué al prado, arrancó «ciertas yerbas desusadas» (AD, 464) y con el zumo de ellas le curó todas las heridas. Hecha la cura, Lautaro le dijo a Talguén que el propósito de su aparición era pedirle que lo vengara del cacique Catiray, el cual por quitarle su mujer, la bella Guacolda (AD, 465), le había dado muerte a traición, mezclándose con los enemigos la noche que los españoles atacaron el fuerte de Mataquito: «Sólo venganza puede darme vida, / porque sin ella infausta muerte muero, / pues sólo por estar aún no vengado, / estoy de los Elisios desterrado» (AD, 469).

Le pidió también que si era posible, para mayor gloria suya y pena más grande de Catiray, que la venganza fuera tomada por Quidora, mujer de Talguén y prima hermana de Lautaro. En seguida le indicó las señas por las cuales podría identificar a Catiray: «El tiene el rico llauto de chaquira / que fué del venerable Pailataro» (AD, 470). Le suplicó además que le comunicara a Tucapel, a quien vería en ese monte con Gualeva cuando saliera el sol, todo lo que le acababa de decir. Terminó deseándole buena suerte en la lucha contra los españoles, y después de señalarle el camino que debía seguir, desapareció: «En exhalada forma convertido, / se arrebató de mí desvanecido / dejando con horror aquel asiento» (AD, 471).

Todo este episodio es una feliz imitación de varios pasajes de la *Eneida*. Por ejemplo, la manera en que la sombra de Lautaro se presenta ante Talguén corresponde a la de Héctor cuando se le aparece a Eneas la noche en que los griegos entran en Troya (*Eneida*, lib. II, vs. 269-297); los esfuerzos que hace Talguén por abrazar a Lautaro son iguales a los que hacía Eneas cuando vió el espíritu de Creúsa (*Eneida*, lib. II, vs. 792-795); la cura de Talguén hecha por Lautaro corresponde a la que el anciano Iapis le hizo a Eneas poco antes de su combate con Turno (*Eneida*, lib. XII, vs. 411-422), etc.

Observaremos que si Oña se esmera por imitar a Virgilio no lo hace por falta de inventiva propia, sino porque la imitación de los clásicos era considerada en el siglo XVI como una cualidad esencial del poeta. Recuérdese a este respecto la opinión del licenciado Francisco Sánchez, catedrático de retórica en la Universidad de Salamanca, refiriéndose a la obra de Garcilaso: «Digo y afirmo que no tengo por buen poeta al que no imita a los excelentes antiguos». [4]

---

4 Prólogo al lector, en Obras / del excelen- / te Poeta Garci Lasso / de la Vega. / Con Anotaciones y enmiendas del / Licenciado Francisco Sanchez / Cathedratico de Rhetorica / en Salamanca. / Dirigidas al muy illustre señor Licēciado / Don Diego Lopez de Çuñiga y Soto / mayor. Con Priuilegio. / En Salamanca, / Por Pedro Lasso / 1574 /, fol. 6v.

VIII

LENGUAJE Y VERSIFICACION

Se advierte en Oña cierta vacilación en las vocales inacentuadas, por ejemplo, pronuncia *devisa* 234,1; y *devisar* 146,5; vacila entre *adivino* 182,18 y *adevino* 644,16. *Recebir* 45,11 y *recebido* 61,34 es lo normal; pero recebir hace en el pretérito *recibió* 52,24. Es interesante notar que tanto Oña como Ercilla usan siempre en los versos la forma *escribir*, mientras que el primero emplea *escrebir* en el «Prólogo al lector», p. 25,17 y Ercilla en la «Dedicatoria» de la primera parte de *La Araucana*, p. XV,1.

En *oscuridad* y sus derivados la norma de Oña es *escuridad* 123,13; *escurecida* 74,24; *escurecer* 500,5; y *escureciendo* 160,23. El adjetivo aparece por lo menos 43 veces en la forma *escuro* y sólo una vez con *o-*: *obscura* 146,10. Son corrientes *sospiro* 383,3; *morciélago* 78,13 y *sepoltura* 409,23. Conserva la forma culta *sepultaba* 43,5. Oña dice *cudicia* 113,12; *cudicioso* 94,7; y *cudiciar* 59,10; pero vacila en la tercera persona del imperfecto de indicativo de este verbo: *cudiciaban* 557,22 y *codiciaba* 230,5. Puede notarse también la variante *ciénega* 115,7.

En los grupos de vocales Oña conserva el hiato normal en *le-al* 45,20; *le-o*-na 424,27, etc. Pronuncia regularmente con sinéresis palabras como c*áe*se 72,1; p*eo*r 558,20; tr*ae* 533,24, etc., y los cultismos del tipo siguiente: cerúl*eo* 64,26; flamín*eo* 88,8; marmór*eo* 248,6; p*oé*tica 135,15; purpúr*eos* 295,8; sidér*eo* 657,2; sulfúr*eo* 88,4; tartár*eas* 157,16; vítr*eas*, 91,22; etc.

Vacila entre el hiato y la sinéresis en d*í-a*s 626,2 y d*ia*s 353,29; l*e-ó*n 152,8 y l*eo*n 76,7; m*a-íz* 474,3 y m*aiz*

142,22; *o-í*-do 286,26 y *oí*do 180,31; pr*o-a* 680,19 y pr*oa* 98,5; r*e-a*l 340,30 y r*ea*l 510,2; r*u-í*-do 52,2 y r*ui*do 184,23; s*u-a*-ve 118,18 y s*ua*ve 166,11, etc.

El imperfecto de indicativo de haber y hacer en las rimas lo pronuncia siempre con hiato: ha-b*í-a* 351,24; ha-*cí-a* 623, 25 y con sinéresis en el interior del verso: «No bien el sol seis vueltas hab*ía* dado» 120,13; «Al ávido dragón hac*ía* pedazos» 579,13.

En los grupos de vocales entre palabras lo ordinario en el *Arauco domado* es la sinalefa. Para el estudio de este punto nos basamos en 500 versos que hemos seleccionado así: 168 del principio del canto I, 39,8-47,6; 168 del medio del canto X, 349,17-355,23; y 164 del fin del canto XIX, 677,4-683,10.

En estos 500 versos hay 366 casos de sinalefa: 356 binarias y 10 ternarias. Las primeras se agrupan en 19 combinaciones y las últimas en seis: *aa* toda aquella 40,7; *ae* tierra estaba 41,4; *ai* espantosa imagen 41,7; *ao* vista horrible 42,19; *au* fuerza humana 352,19; *ea* que amanezca 44,9; *ee* lúgubre espectáculo 41,17; *ei* pareciéndole importante 46,26; *eo* gente opresa 45,10; *eu* de un 352,15; *ia* ni avería 352,2; *ie* si es 40,11; *oa* discanto aviso 39,9; *oe* ánimo español 41,3; *oi* crudo intento 42,18; *ou* sólo un 349,29; *ua* su adúltero 354,10; *ue* su espina 43,9; *uo* su oficio 680,14; *iai* (y) juncia y junco 354,25; *ioe* soberbio estaba 40,15; *ioi*(y) sitio y buen 353,22; *oaa* esto a aquella 352,3; *oae* comenzó a enmendar 44,4; y *uee* fué en 678,25.

Comparada la serie de combinaciones binarias del *Arauco domado* con la que da el señor Navarro en su *Manual de pronunciación* [1] se nota que Oña usa todas las combinaciones de la citada lista menos *ii*, *io*, *iu*, *oo*, *ui* y *uu*.

En los versos examinados para el estudio de la sinalefa no hay ningún caso de hiato en grupos de esta especie.

---

1 Tomás Navarro, *Manual de pronunciación española*, 4.ª ed., Madrid, 1932. p. 71.

Se halla el hiato en el resto del poema, pero sólo veinte casos en total. Aparecen estos casos tanto en los grupos acentuados como en los inacentuados:

Y *a o*rza enderezando recta vía. (137,6)
Transforma aquell*a hó*rrida figura. (160,27)
Y el puro humor sanguino allí s*e a*gua. (400,1)
También acá en lo llano s*e o*ía. (407,10)
Más ávidos que vientres d*e a*rpías. (614,12)

Respecto a las consonantes, en el poema hay muchos casos en que la *h* aspirada, procedente de *f* latina, impide la sinalefa:

Qu*e h*abla si la pintan de colores. (583,16)
El delicad*o h*eno y verde grama. (354,20)
Ya todo a su calor est*á h*irviendo. (639,23)
Que el árbol sacudiéndole l*a h*oja. (172,22)
Lanzaba espes*o h*umo por aliento. (460,14)

Pero también hay numerosos casos en que dicha consonante no impide la sinalefa:

El áspero camino l*e h*ace llano. (246,1)
Pues mientras que l*a h*erida está caliente. (588,24)
Entresacando diez de cad*a h*ilera. (365,10)
Agora, después dél, es un*a h*ormiga. (593,2)
De los qu*e h*uyendo van, sin ir tras ellos. (241,15)

La vacilación entre la aspiración y la no aspiración de la *h* [2] no sólo ocurre entre palabras diferentes sino aun tratándose de las mismas y de sus derivados, por ejemplo:

Pensándol*a h*acer a todo el orbe. (42,1)
Y quier*e h*acer ya piezas el navío. (135,24)
Por ver tan acabad*a h*ermosura. (607,16)
¡Tanto como esto puede l*a h*ermosura! (252,31)

---

2 Cf. Ramón Menéndez Pidal, *Manual de gramática histórica española*, 8.ª ed., Madrid, Espasa-Calpe, 1949, p. 121.

El recuento de los casos con *h* aspirada, procedente de *f* latina, nos da un total de 399, de los cuales 268 impiden la sinalefa (67.17%) y 131 no la impiden (32.83%).

Las rimas del *Arauco domado* prueban que Oña diferenciaba entre la pronunciación de la *ç*, *z* y *s*: braços: calabaços:pedaços (F,20r,III,2); fortaleza:nobleza:presteza (F,5r,I,2); belicoso:vigoroso:orgulloso (F,5v,I,1). Hay un solo caso en que se identifica la *z* con la *s* en fin de palabra: Fernández:Flandes:grandes (F,144v,III,2). El ejemplo de seseo, dehesas:riquezas:proezas, que cita Cuervo en sus *Apuntaciones críticas* [3] se basa en un error de imprenta. En la lista de erratas de la primera edición del poema, ejemplares A y F, se lee: «fo. 49, pa. 1, oct. 3, ver. 1, dehezas, di grandezas».

Indican también las rimas que Oña no distinguía entre la pronunciación de la *b* y la *v*: [4] mancebo:Phebo:nueuo (F,14r,I,1); sabio:agrauio:resabio (F,34r,III,1); y que reducía a un solo elemento fónico los grupos cultos *cc*, *ct*, *gn*, etc.: tamborino:malino:vino (F,19v,III,1); quebranto:canto:sancto (F,35v,II,2); precepto:sujeto (F,321v,III,7).

En cuanto al género de los nombres, Oña emplea regularmente *el alborada* 149,10; *el amargura* 418,10; *la fantasma* 82,14; *la margen* 145,13. Usa con más frecuencia *el color* 224,13 que *la color* 377,6; *el fin* 80,10 que *la fin* 55,23; *el mar* 51,3 que *la mar* 63,4; *la arena* 122,13 que *el arena* 99,32; *la estambre* 439,1 que *el estambre* 83,10. Vacila entre *el armada* 642,8 y *la armada* 643,2; *el centinela* 293,20 y *la centinela* 291,24. En el caso de *tigre*, el género corresponde al sexo, *el tigre* 551,25 y *la tigre* 404,23.

3 Rufino José Cuervo, *Apuntaciones críticas sobre el lenguaje bogotano*, 5.ª ed., París, 1907, p. 539.

4 Cf. Cuervo, «Disquisiciones sobre antigua ortografía y pronunciación castellanas», en *Revue Hispanique*, II (1895), 1-69.

Entre los nombres formados por Oña mencionaremos: de culebra, *culebresno* 454,17; de espuma, *espumazón* 126,12; de vedija, *vedijón* 83,11; de Cantabria, *cantabrés* 680,20; de Mapochó, *Mapochote* 624,10; de Quidora, una de las heroínas del poema, *quidóreo:* «Duró la dulce historia en ser contada / por los *quidóreos* labios hora y media» 492,30; y de palqui, *Palquín* 606,27.

El tratamiento de *don* se usa en el poema sólo como título nobiliario: «*Don* Beltrán de Castro y de la Cueva» (619,14). Al virrey del Perú se le trata de *su Excelencia* (46,12). La forma de tratamiento que predomina en el poema es *tú*. Oña, por ejemplo, dirigiéndose a don García le dice: «Yo cortaré, señor, con otro filo / *tus* venturosos lances en la corte» (107,13). De igual manera trata a don García el indio Puchelco: «Yo vengo, ilustre joven, floresciente, / porque *tu* grande nombre me ha obligado» (300,20). Caupolicán le asegura a Fresia, su mujer: «Y pues que estoy seguro yo de muerte, / estarlo puedes *tú* de mala suerte» (172,2).

Tratándose de personajes sobrenaturales, *tú* alterna con *vos*. Por ejemplo, al describir los demonios que asisten a la junta convocada por Plutón, Oña dice: «Y *vos* también, frenético Tereo, / cruel estrupador de Filomena» (152,18); «Tampoco, *tú*, del cónclave faltaste, / incestuosa hija de Cinira» (153,1). Añadiremos que en el «Exordio» del poema, Oña trata de *vos* a don García: «Sin *vos* quedó su historia deslustrada / y en opinión, quizá, de no tan cierta» (36,1); y de igual manera a su hijo: «Que siendo yo de *vos* favorecido / de nadie puedo ser desayudado» (31,13).

La forma corriente para la segunda persona de plural es *vosotros*, nunca *vuestras mercedes*. *Vosotros* alterna a veces con *vos*, por ejemplo, en el discurso que don García le pronuncia a su gente después de la victoria de Penco, en un pasaje dice: «Bien tengo de *vosotros* entendido» (298,11), y en otro: «Sólo de *vos* quisiera y pido en esto / que no con otro fin hagáis la guerra» (299,7).

Notamos que Oña vacila entre el *leísmo* y el *loísmo*, por ejemplo: «Tal iba por su ejército el mancebo, / que Sálmacis por Troco *le* tenía / . . . Volvelle los acentos Eco quiso, / por no diferenciál*lo* de Narciso» (59,21). La vacilación ocurre no sólo tratándose de un mismo sujeto dentro de la estrofa, sino que hasta en un mismo verso: «Como *le* tiene en casa *lo* desdeña» (144,1). La forma que predomina es *le*.

Una ojeada a los pronombres enclíticos revela que Oña emplea mucho más la anteposición: «En un galpón crecido *se* metieron» (82,26), que la postposición: «Tomó*la* de derecho Pillalonco» (87,12). Se observa además que algunas veces antepone los enclíticos a un infinitivo: «Por *le tener* agora encadenado» (159,1); a un imperativo: «*La resistid* con ánimo constante» (470,22); y a un gerundio: «Mas no *le aprovechando* cosa alguna» (600,19). En los casos de postposición, de vez en cuando se une el pronombre a un participio: «Habiendo ya *besádola* en la frente» (608,5). En formas como esta última, el enclítico se halla siempre en la octava sílaba del verso.

La segunda persona de plural del pretérito termina en *-stes: bajastes* 152,23; *defendistes* 445,20; *dijistes* 658,8; *hartastes* 152,20; *llevastes* 649,5; *perdistes* 260,24; *pudistes* 496,6; *pusistes* 658,11; *quisistes* 260,23; *vistes* 156,2; etc. La terminación *-ades* del subjuntivo sólo se halla en formas esdrújulas: *fuérades* 260,25; *usárades* 378,14; *viérades* 103,1; etc.

Además, de *caer, caya* 321,20 (al lado de *caiga* 79,27) y *cayas* 482,12; de *traer, trujo* 458,20; *trujistes* 470,23; *trujeron* 154,9; *trujese* 557,27 y *trujera* 257,6. *Ver* vacila entre *vide* 437,23 y *vi* 438,13; *vido* 68,10 y *vió* 216,3; pero el imperfecto de indicativo es siempre *vía* 68,27; *vías* 614,11; y *vían* 379,12. El imperativo de decir es *decí* 271,25 y *decid* 259,10; el participio de romper, *rompido* 77,23 y *roto* 273,18.

Un sujeto compuesto puede llevar el verbo en singular: «El aire, el mar, la tierra se *ensordece*» (51,3). A menudo se separan las partes de un verbo compuesto: «Quien *ha* la noche entera *trasnochado*» (99,2). Es frecuente la construcción de ablativo absoluto a la latina: «*Visto el pastor* la guarda de su hato» (584,5); «Ninguno allí se halló *tan duro pecho*» (596,33). Hay transposiciones: «Mediante *aquel* tan digno de alabanza / *ardid* no menos útil que discreto» (356,3). A veces se omite la preposición *a* en el complemento directo: «Así dejó los pobres redimidos» (106,25).

En los 584 versos del canto primero hay 243 adjetivos; su posición respecto a la palabra que modifican es como sigue: anterior simple, 112 casos: «La *verde* superficie de la tierra» (41,21); posterior simple, 93: «La fuerza de su brazo *vigoroso*» (40,17); anterior doble, 13: «Mostraba su *feroz* y *crudo* intento» (42,18); posterior doble, 11: «Aquella diosa *lúbrica* y *terrible*» (43,2); y 14 circundantes: «Del *valeroso* joven *extremado*» (60,9).

Por lo que toca a la versificación, ya sabemos que el verso del *Arauco domado* es el conocido endecasílabo en que se escribieron todos los poemas épicos del siglo de oro de la literatura española.

Haremos el análisis de los tipos rítmicos de los endecasílabos de Oña sirviéndonos de la teoría del profesor Tomás Navarro, según la expone en sus clases de métrica española en Columbia University. Explica el señor Navarro que el endecasílabo castellano se puede clasificar en cuatro grupos: I, II, III y IV, según si el acento rítmico inicial va en la primera, segunda, tercera o cuarta sílaba.

Aplicada la teoría del señor Navarro a 500 versos del poema [5] nos da el resultado siguiente: tipo I, 18 casos: «*Fué* de su voluntád el hijo dádo» (46,30); tipo II, 310: «Ab*sór*ta

5 168 del principio del canto I, 39,8 — 47,6; 168 del medio del X, 349,17 — 355,23; y 164 del fin del XIX, 677,4 — 683,10.

en las grandézas de mi cánto» (40,10); tipo III, 2: «Cuando *más* arrogánte y orgullóso» (40,18); y tipo IV, 170: «A su ro*dán*te glóbo dió la vuélta» (43,28).

La proporción en que se emplea cada tipo en los citados 500 versos es: tipo I, 3.6%; tipo II, 62.0%; tipo III, 0.4%; y tipo IV, 34.0%. Vemos pues que los tipos de endecasílabo que predominan en el *Arauco domado* son el II y el IV. Se observa además que Oña no acomoda un determinado tipo rítmico a los diferentes temas que va cantando. Lo común es que combine dos y a veces tres tipos en una misma estrofa para darle soltura y agilidad, por ejemplo:

> Sin descan*sár* los rémos un moménto,
> *Llé*gan, revuélven, tórnan y acarréan;
> Las *á*guas se alborótan y blanquéan
> He*rí*das con el ímpetu violénto;
> Los *ás*tros del sublíme firmaménto
> De*bá*jo de las óndas centelléan,
> Su*pliénd*o con su lúz, aunque notúrna,
> La de la ar*dién*te lámpara diúrna. (AD, 351)

Los endecasílabos del *Arauco domado* son todos llanos. La serie de rimas que resulta del examen de los versos utilizados para la discusión de los tipos rítmicos es la siguiente: *é-o* 88 casos (pecho:satisfecho, 47,6) 17.6%; *á-o* 73 c. (caro:reparo 46,15) 14.6%; *á-a* 57 c. (esperanza:bonanza 43,13) 11.4%; *é-a* 55 c. (cabezas:piezas 41,19) 11.0%; *í-a* 50 c. (silla:orilla 349,32) 10.0%; *á-e* 37 c. (leales:inmortales 45,21) 7.4%; *í-o* 35 c. (satisfizo:hizo 349,16) 7.0%; *é-e* 25 c. (suerte:muerte 41,7) 5.0%; *ó-a* 21 c. (historia: gloria 45,13) 4.2%; *ó-e* 20 c. (orbe:estorbe 42,2) 4.0%; *ú-a* 13 c. (noturna:diúrna 351,21) 2.6%; *í-e* 11 c. (posible:terrible 43,2) 2.2%; *ó-o* 10 c. (Apolo:polo 40,5) 2.0%; *ú-o* 5 c. (suyo:cuyo 353,20) 1.0%.

Comparada la serie precedente con la escala que da el señor Navarro en sus *Estudios de fonología*[6] se advierte que Oña usa en los citados 500 versos todas las combinaciones llanas de dicha escala menos una, *ú-e*, la de menor frecuencia; pero en otras partes del poema se halla a veces esta combinación *ú-e*, por ejemplo: *dude:acude* (132, 3).

Entre los complementos rítmicos empleados por Oña se destaca en primer lugar la correlación de palabras. Son comunes los casos en que la segunda parte del endecasílabo repite una palabra que aparece en la primera:[7] «*Espera* y no se engaña en lo que *espera*» (60,1); lo son también los que en dicha segunda parte repiten un concepto: «Al *blanco* cisne vence en la *blancura*» (173,20).

La correlación más frecuente es la directa, es decir, cuando en la segunda parte del endecasílabo se repiten palabras de la misma categoría gramatical y en el orden en que aparecen en la primera: 1-2 / 1-2, por ejemplo:

> Sospiros lanza, lágrimas derrama. (59, 11)
> Ora plantados, ora naturales. (143, 6)
> La vista garza, el pecho relevado. (173, 16)
> Cual con gurguz y cual con alabarda. (225, 3)
> Quien la coraza y quien el coselete. (225, 5)

A la correlación directa sigue en frecuencia la inversa, en la cual los elementos gramaticales de la segunda parte del endecasílabo se repiten en orden inverso al que tienen en la primera: 1-2 / 2-1, por ejemplo:

> Atierra Tucapel y Rengo espanta. (42, 7)
> Hermosas dueñas, vírgenes apuestas. (102, 25)
> De limpio celo y ánimo dotados. (105, 3)
> Por tierno estilo y término amoroso. (170, 12)
> De torno el brazo, el vientre jaspeado. (173, 17)

---

6 Tomás Navarro, *Estudios de fonología española*, Syracuse, Syracuse University Press, 1946, p. 57.

7 *Vide* Dámaso Alonso, «Temas gongorinos», en *Revista de Filología Española*, XIV (1927), 329-346.

A veces Oña alterna la correlación directa con la inversa dentro de una misma octava y aun en versos contiguos, por ejemplo:

> Marinos peces, aves celestiales,
> Arroyos claros, fuentes perenales,
> Umbrosos valles, húmidas riberas. (271, 18)

Abundante es también la correlación cruzada, o sea cuando la segunda parte del endecasílabo que se repite sirve de contraste a la primera, por ejemplo:

> Que vayan siempre a más y nunca a menos. (58, 13)
> Mira la dulce tierra y mar salada. (63, 4)
> Lo que por fuerza fué, será de grado. (92, 10)
> Lo que de pedernal, de blanda cera. (92, 11)
> No menos manso en paz que en guerra fiero. (317, 11)

Junto con la correlación de palabras, Oña se vale muy a menudo de la armonía vocálica para darle mayor fuerza rítmica a sus versos. Ejemplos:

> Que al água están mirándose, mirándo. (165, 11)
> Meréce el cantabrés etérna loa. (680, 20)
> Así de sí despíde al híjo caro. (47, 19)
> Que ni el amór con ser tan poderóso. (46, 32)
> Bien siento que esta cúra es más locúra. (285, 4)

En casos como los que acabamos de citar, la letra que más usa Oña es la *a*. Hay un verso, por ejemplo, en que de las doce vocales que contiene, diez son aes: «P*a*s*á*ndo est*á*s l*a*s *á*lm*a*s *a* b*a*rc*á*d*a*s» (88,21).

Se advierte asimismo que en ciertos pasajes Oña hace uso de la aliteración de consonantes, por ejemplo, en el conjuro de Pillalonco:

En dando fin al fiero necesario
Oyeron un terrible terremoto,
Que revocó en el sitio más remoto
Con un rumor y estruendo temerario;
En rápido turbión trasordinario
Se revolvieron Euro, Cierzo y Noto,
Y en remolino el Ábrego violento
Arrebataba el rancho de su asiento. (AD, 91)

La estrofa del *Arauco domado* no es la octava real de origen italiano introducida en la literatura española por Boscán y Garcilaso, y que después llegó a ser típica de los poemas épicos, sino otra, diferente en la distribución de las rimas. Recordemos que en la octava real el primer verso rima con el tercero y quinto; el segundo con el cuarto y sexto; y el séptimo con el octavo: ABABABCC. Es pues la estrofa que usó Ercilla. En la octava empleada por Oña, el primer verso rima con el cuarto y quinto; el segundo con el tercero y sexto; y el séptimo con el octavo: ABB AABCC. Ejemplo:

Canto el valor, las armas, el gobierno,
Discanto aviso, maña, fortaleza,
Entono el pecho, el ánimo y nobleza
Del extremado en todo joven tierno;
Hinche la Fama agora el áureo cuerno,
Apreste de sus alas la presteza,
Redoble su garganta el claro Apolo
Y llévese esta voz de polo a polo. (AD, 40)

En el «Prólogo al lector» Oña explica las razones que tuvo para apartarse de la tradición: «El nuevo modo de las octavas, por la nueva trabazón de las cadencias, no fué por más que salir, no de orden, sino del ordinario, como quiera que sea de más suavidad, aunque más impedidas para correr bien, por hacer en tres partes rima, donde parece que repara el concepto» (AD, 27).

Esta explicación deja entender que Oña fué el inventor de dicha octava. Así lo creían sus contemporáneos. El licenciado don Juan de Villela, por ejemplo, en su «Parecer» sobre el *Arauco domado* dice: «He visto por orden de Vuestra Excelencia este libro que compuso el licenciado Pedro de Oña, en el cual, demás del nuevo modo en la correspondencia de las rimas, muestra su autor una natural facilidad» . . . (en AD, 5).

Pero el nuevo modo en la correspondencia de las rimas no era nuevo. Lo había usado ya don Diego de Mendoza (1503-1575) en un poemita de tipo amoroso que consta de siete octavas. Este poema, que se titula «Estancias», fué publicado por primera vez en 1610 y empieza así:

> Amor, amor, quien de tus glorias cura,
> Busque el ayre, y aprietelo en la mano,
> Conocera el plazer como es liuiano,
> Y el pesar como es graue, y quanto dura:
> Goze el misero amante su ventura,
> Como el que es combidado del tirano,
> Que vee sobre el cabello estar colgada,
> De vn fragil pelo vna tajante espada.[8]

El hecho de que don Diego de Mendoza usara antes de 1575, fecha de su muerte, la estrofa que Oña creía nueva nos plantea una serie de problemas difíciles de resolver. ¿Existía ya la citada octava en algún poema italiano y de allí la tomó Mendoza? Recuérdese que este caballero pasó muchos años en Italia: embajador de Carlos V en Venecia desde 1532 hasta 1547 y en Roma desde 1547 hasta 1551.[9] Si la octava no existía en la literatura italiana, ¿fué Men-

---

8 Obras / del Insigne / Cavallero Don / Diego de Mendoza, Embaxador del Emperador Carlos / Qvinto en Roma / . . . Madrid, Iuan de la Cuesta, 1610, fol. 145v.

9 William I. Knapp, «Prólogo» en *Obras poéticas* de D. Diego Hurtado de Mendoza, Madrid, Imp. de Miguel Ginesta, 1877, p. XXI.

doza el que la creó basándose, por ejemplo, en la octava real y en la copla de arte mayor, en una de sus formas más frecuentes, ABBAABBA, como insinúa Caillet-Bois?[10]

¿Conocía Oña las «Estancias» de Mendoza? Creemos que no; porque parece poco probable que una copia del manuscrito de dicho poema que se hallaba en España entre los papeles de un personaje como don Diego de Mendoza, llegara a Lima a las manos de Oña. Pues bien, si la estrofa en discusión no existía en la literatura italiana y Oña desconocía el poema de Mendoza, ¿cómo llegó a concebir su octava? Observando las rimas ABBAABCC, del *Arauco domado* vemos que coinciden con las seis primeras del soneto, ABBAAB, y la de los pareados, CC, de la octava real. ¿Fueron éstas las combinaciones en que se basó Oña?

Sea lo que fuere en cuanto a su origen, el hecho es que la nueva octava que Menéndez y Pelayo, refiriéndose al *Arauco domado*, califica de «menos solemne y más graciosa y ligera que la antigua» (*Historia*, II, 319), no tuvo éxito. Mendoza la usó sólo una vez, en el caso citado, y Oña, después del *Arauco domado*, tampoco volvió a emplearla: el *Temblor de Lima año de 1609*, *El Ignacio de Cantabria* y *El Vasauro* los compuso usando la octava tradicional.

Aparte de Mendoza y de Oña, los únicos que utilizaron el nuevo tipo de octava, ABBAABCC, fueron Bernardo de Balbuena (ca. 1562-1627) y Luis de Belmonte Bermúdez (ca. 1587-ca. 1650). Balbuena, sólo en una estrofa del «Compendio apologético en alabanza de la Poesía», al fin de la *Grandeza Mexicana*, México, Melchior Ocharte, 1604,[11] y Belmonte Bermúdez, en su poema *La aurora de Cristo*, Sevilla, Francisco de Lyra, 1616.

---

10 Julio Caillet-Bois, «Dos notas sobre Pedro de Oña», en *Revista de Filología Hispánica*, IV (1942), 270.

11 *Vide* La Grandeza mexicana / de / Bernardo de Balbuena / Editada según las primitivas ediciones de 1604, con una intro- / ducción y notas sobre las obras y los autores citados por / Balbuena. / Por John Van Horne / The University of Illinois / 1930 /, p. 150.

Notaremos por último que Oña ensayó una vez en el *Arauco domado* el verso encadenado. Tucapel le explica a Gualeva, su mujer, las razones que tuvo para suspirar estando ella a su lado:

> Mas fué por acordarme de un *amigo,*
> *Amigo* a las derechas, fido *y bueno,*
> *Y bueno,* pues no es otro que *Talgueno,*
> *Talgueno,* bien conoces al que *digo;*
> *Digo* que me libró de *un enemigo,*
> *Un enemigo* tal, que en lo *terreno,*
> *Terreno* tan valiente no hay *ninguno,*
> *Ninguno* llanamente, sino es uno. (AD, 436)

IX

OBSERVACIONES ESTILISTICAS

El estudio del *Arauco domado* revela que Oña poseía un vocabulario muy rico. Se observa en primer lugar que emplea un gran número de cultismos. Por ejemplo, en los 500 versos que nos vienen sirviendo de muestra, hemos notado 86 vocablos cultos: 43 sustantivos, 40 adjetivos y 3 verbos.

Sustantivos: ánimo 39,10; aplauso 40,13; ardid 352,15; bárbaro 41,1; céfiro 352,31; cima 43,4; círculo 42,4; cóncavo 45,17; dádiva 46,24; diamante 42,15; diligencia 351,22; doctrina 43,6; elemento 40,12; espectáculo 41,17; experiencia 352,14; firmamento 351,18; fortuna 44,4; furia 42,12; gloria 45,13; hemisferio 46,7; historia 45,12; ímpetu 351,17; ingenio 682,24; inmortal 45,21; joven 40,1; materia 683,8; memoria 45,21; occidente 42,5; oficio 44,10; orbe 42,1; piélago 352,23; planta (del pie) 42,3; polo 40,5; potencia 351, 25; prora 349,31; proviso 355,14; reliquia 46,5; rostro 43,13; ruina 43,10; sancto 45,22; término 46,9; túnica 681,22; turba 355,6.

Adjetivos: absorto 40,10; antártico 46,7; arrogante 40,18; áureo 40,2; bélico 46,31; belicoso 40,14; breve 46,9; britano 680,23; corruscante 42,14; diamantina 679,11; digno 680,17; diligente 349,19; estéril 43,7; fecundo 683,2; fugitivo 677,9; héspero 41,24; húmido 354,26; idólatra 42,9; ledo 42,21; lento 683,2; leso 679,7; lúbrico 43,2; lúgubre 41,17; mádido 352,22; mísero 40,7; mixto 40,12; patrio 45,14; perplejo 46,24; plácido 43,25; próspero 45,16; raudo 352,7; sacrílego 355,19; sacro 43,6; solícito 681,26; súbito 43,20; sublime 351,18; superno 352,17; tímido 351,2; tonante 42,11; último 43,15.

Verbos: dilatar 46,24; impeler 680,13; solicitar 681,26.

Al comparar los cultismos precedentes con las listas de palabras de esta clase que trae Dámaso Alonso en *La lengua poética de Góngora* [1] se advierte que de los 86 vocablos cultos usados por Oña en los citados 500 versos, 60 (69.76%) aparecen en dichas listas.

Tal vez convendría indicar que en el resto del poema, es decir, fuera de los mencionados 500 versos, hay más de 300 cultismos, por ejemplo: antegénito 592,16; astería 369,17; cónclave 509,9; planto 250,10; rívulo 115,6; vestiglo 135,21; viso 654,4; almo 425,28; apolinar 90,3; castálido 324,11; clíptico 566,9; febrizante 371,9; jacóbico 659,5; libidinoso 151,19; mélode 118,12; propincua 89,22; túrbido 116,3; alacranar 552,10; obstupecer 93,19; reptar 316,32; etc.

Notaremos además que Oña no utiliza las voces cultas para producir determinados efectos estilísticos sino como elementos incorporados a la lengua literaria corriente.

Abundan también en el *Arauco domado* los vocablos marinos: almiranta 632,26; almirante 637,10; armada 623,30; artillada 60,18; arráez 650,17; bahía 670,6; barca 349,19; barco 61,16; barquero 151,3; boga 61,22; bonanza 64,2; boyante 649,15; cala 668,13; caleta 668,13; capitán 625,5; capitana 63,9; cómitre 498,8; cosario 615,12; costa 137,4; escuadra 60,20; flámula 643,12; flota 64,4; grumete 137,20; mar 56,9; marea 640,2; mareta 138,1; marina 121,25; marinaje 61,34; marinero 115,17; marino 64,21; marítimo 125,31; nave 60,18; navecilla 129,7; navegación 118,22; navichuelo 621,1; navío 135,24; piloto 124,26; pirata 614,6; playa 99,28; puerto 64,4; remo 224,28; vaso 662,16; virazón 645,22; zaloma 63,7; abordar 676,12; alijar 125,27; amainar 123,30; amurar 124,7; arribar 124,8; embarcarse

1 Madrid, 1935, p. 49-66; 77-80; 82-84; y 95-108.

626,9; encallar 648,19; enmararse 649,25; navegar 120,6; proejar 648,13; remar 151,3; virar 124,6; zabordar 124,8; zallar 679,16; etc.

Vehículos marinos: bajel 638,7; balsa 139,25; batel 60,24; bergantín 652,1; chafaldete 123,31; chalupa 61,29; chinchorro 653,14; esquife 99,23; fragata 620,11; fusta 267,11; galeón 61,31; galera 626,8; galizabra 651,27; góndola 139,25; lancha 655,13; pataje 627,17; ventola 650,14; zabra 652,2; etc.

Partes de la nave: aguja 125,19; ancla 134,18; árbol 656,1; babor 675,12; bauprés 136,1; bitácora 125,20; bordo 63,3; braza 123,31; brújula 497,17; burriquete 643,11; cable 123,24; entena 125,18; escota 64,11; espolón 64,9; estribor 676,13; fanal 632,26; fiador 134,14; filáciga 125,15; gallardete 62,2; gavia 126,18; gúmena 126,15; jarcia 126,15; jareta 63,3; lona 624,16; mastelero 655,23; mástil 118,14; mura (amura) 125,17; obencadura 655,25; popa 153,36; proa 98,5; puño 134,15; quilla 57,3; timón 63,15; toldilla 679,4; trinquete 63,9; triza 123,31; troza 123,31; vela 49,16; velacho 49,16; velamento 641,5.

Frases marinas: ganar el barlovento 414,6; de boga arrancada 307,6; dar carena 129,8; costa a costa 306,1; alta mar 64,9; mar bonanza 117,14; a orza 124,6; a popa vía 649,17; viento en popa 227,3; viento largo 117,14.

Como era de esperar en una obra dedicada a cantar hechos de armas, el *Arauco domado* contiene una multitud de vocablos militares: alarde 50,2; arcabucero 340,1; arma 340,31; artillería 139,19; artillero 50,7; bandera 352,32; bastimento 55,8; batalla 139,4; batería 193,9; caballería 315, 15; campo 353,5; cañonear 676,13; capitán 55,9; capitanía 625,23; caudillo 60,29; centinela 291,24; compañía 339,22; corredor 353,30; cuadrilla 355,13; ejército 340,15; enseña 181,32; escuadrón 58,24; estandarte 352,32; flechero 340,2; general 61,14; guarnición 626,9; guerra 155,19; guerrero 59,3; hueste 55,12; infantería 315,16; lid 212,9; maese de campo 569,9; militar 55,2; mosquetero 557,10; munición 55,5; oficial 340,7; penacho 49,12; pendón 181,32; piquero 339,27; pólvora 680,24; polvorín 192,2; polvorista 50,8; reseña 317,7; salva 645,7; soldado 54,1; tercio 57,1; tiro 680,22; tropa 55,3; etc.

Vocablos relativos a la fortificación: albarrada 147,31; barbacana 191,24; baluarte 148,6; barrera 148,6; bastión 184,25; cava 148,9; cerca 149,11; fortaleza 651,6; foso 147,31; fuerte 147,16; muralla 182,2; muro 147,13; palenque 181,27; terraplén 148,1; terrapleno 186,14; trinchea 148,5.

Armas ofensivas: adarga 49,9; alabarda 225,3; alfanje 251,4; aljaba 251,2; arcabuz 49,11; arco 428,2; asta 182,26; bala 191,1; bala de cadena 642,16; bala de navaja 642,16; bombarda 652,10; cañón 61,32; culebrina 679,14; daga 224,8; dardo 191,32; escopeta 49,11; esmeril 642,15; espada 188,2; flecha 191,1; gineta 49,10; gurguz 225,3; honda 191,35; jabalina 642,18; lanza 49,10; macana 81,30; maza 94,2; mosquete 49,11; partesana 451,20; pedreñal 678,28; pedrero 642,15; pica 49,10; piedra 191,29; portañola 672,14; sargenta 527,3; terciado 251,2; venablo 49,10; verso 633,7.

Armas defensivas: almete 327,21; armadura 233,11; arnés 52,15; celada 183,18; cimera 49,1; coraza 321,3; coselete 233,8; cota 48,17; escudo 189,14; espaldar 231,9; jaco 216,13; malla 181,31; morrión 49,13; peto 49,8; rodancho 139,8; rodela 642,19; sobrevista 49,17; visera 183,1; yelmo 322,3.

Frases de la milicia: tocar al arma 310,20; calar la visera 123,12; a escala vista 127,5; hacer gente 535,18; hacer riza 124,3; jugar la artillería 675,15; ¡Sanctiago! ¡Cierra! ¡España! 366,4.

Entre los vocablos ecuestres del *Arauco domado* llama la atención la variedad de tipos de caballos que menciona Oña. Difícil sería encontrar otro poema en que se nombren tantos tipos, pues su número llega a veintidós: alazán 330,8; alazán tostado 333,4; bayo 321,12; bayo cabos negros y frontino 333,6; cándido 327,2; castaño 327,18; castañuelo dorado 328,2; cuatralbo lista blanca 329,10; frisón 49,20; frisón melado 325,3; morcillo 326,1; negro 335,1; overo 321,4; peceño 320,3; picazo 324,6; rabicano 320,2; rosillo 322,9; rucio 317,16; rucio plateado 334,2; sabino 327,10; tordillo 322,6; zaino 329,5.

Aperos de la equitación: arzón 327,9; cincha 317,21; estribo 334,7; freno 333,7; jaez 49,7; rienda 334,1; silla 336,2. Frases hechas: a la estradiota 330,7; a la jineta 321,12; dar de las espuelas 654,17; estar con el pie en el estribo 237,34; etc.

El *Arauco domado* contiene además un buen número de vocablos arcaicos, por ejemplo: alhombra 70,30; aparencia 93,14; celebro 258,16; corresponsión 652,28; crueza 597,4; desgrado 589,9; escaseza 145,21; interese 178,3; lanterna 538,24; laude 602,31; letargía 293,27; maese 569,9; mormollo 52,2; priesa 69,12; tiseras 154,9; vedriera 165,5; vidro 166,17; bel 193,17; cesarino 184,8; conchoso 54,24; contino 352,10; contrecho 408,8; cordubense 627,18; cuidoso 148,4; fortunado 116,7; luengo 83,8; ondoso 624,8; plático 50,3; váguido 315,3; abajar 92,32; manijar 311,5; sulcar 57,2; tropellar 662,31; agora 40,2; apriesa 45,6; aquesto 185,10; comigo 271,29; ¡guarte! 126,25; etc.

En cuanto a los indigenismos, notaremos que de los 73 nombres de indios que aparecen en el poema, 46 fueron inventados por Oña: cuarenta hombres y seis mujeres.

Hombres: Alcaguendo 358,4; Cacho 383,9; Cadeguala 368,8: Catiray 464,15; Copil 199,13; Crin 199,14; Curaguano 304,15; Curalemo 222,10; Curalongo 401,28; Chilcomaro 372,17; Chilcote 383,4; Chul 408,8; Guado 219,1; Guebra 396,2; Guemapu 474,25; Guento 396,18; Guerpo 395,10; Guérpoco 587,13; Levocán 395,9; Levopía 222,10; Longo 199,12; Lleuto 408,8; Mancón 386,3; Millanturo 385,4; Molchén 598,18; Pailataro 372,21; Pangarcato 261, 11; Pilcotur 585,2; Pillalonco 87,12; Pínguedo 199,11; Piñol 221,28; Puchelco 305,12; Pucheo 372,21; Quipalco 372, 19; Quiracolla 408,6; Rulco 408,9; Talguén 186,21; Térpoco 370,7; Tiruca 395,4; Tulcomara 364,2.

Mujeres: Chabraquira 478,6; Glaroa 598,24; Gualeva 242,25; Llámoca 438,18; Llarea 606,2; Quidora 231,13.

A propósito de los vocablos indígenas, en el «Prólogo al lector» Oña dice: «Van mezclados algunos términos indios, no por cometer barbarismo, sino porque, siendo tan propia dellos la materia, me pareció congruencia que en esto también le correspondiese la forma: déstos los más se explican luego a la margen, y los otros en una pequeña tabla que está al fin deste libro» (AD, 27).

Los términos indios a que alude Oña son: apó 140,3; araucano 177,25; arcabuco 119,6; batea 148,8; bejuco 349,8; buhío 83,3; cacique 464,16; callana 474,4; cocaví 687,8; cóndor 364,11; cortadora 141,14; cuoquímbico 99,22; chaquira 73,5; chasqui 628,5; chicha 71,21; chigua 103,12; chileno 104,10; Eponamón 82,15; escaupil 382,10; frutilla 358,18; galpón 82,26; güincha 73,3; huracán 113,2; ibunché 84,13; Inga 552,6; lanco 285,19; llauto 73,3; llíqueda 103,11; macana 81,30; madi 474,2; maíz 142,22; molle 474,6; muday 474,7; ojota 584,16; pacay 144,25; palla 164,6; pérper 474,7; Pillán 71,17; piñón 474,1; piruano 496,20; totora 141,11; ulpo 474,7; yanacona 395,5; yole 103,10.

Pudiéramos indicar otros aspectos del vocabulario del *Arauco domado*, tales como las voces relativas a la toponimia, nombres de la mitología, de la astronomía, de diversos juegos, algunos extranjerismos, etc.; pero nos parece que los ejemplos citados bastan para demostrar la riqueza del material lingüístico con que Oña compuso su obra.

Se observa que Oña emplea una infinidad de locuciones adverbiales, que imprimen a su estilo un fuerte sello de casticismo a la vez que cierto acento popular: a más andar 64,10; de claro en claro 187,2; a costa de 154,11; arrancar de cuajo 113,21; a cuestas 102,28; en fe de 138,33; mal su grado 257,4; de mano en mano 53,15; de parte a parte 495,5; en peso 478,22; a puros 80,1; a la sazón 40,14; a la sorda 531,7; a tiento 82,3; de todo en todo 655,22; etc.

Y centenares de frases hechas: arder en ira 77,2; dar en el clavo 678,20; meter hasta los codos 665,25; señalar con el dedo 344,5; engañar al tiempo 145,6; llamarse a engaño 432,9; sacar fuerzas de flaqueza 280,13; no le arriendo la ganancia 508.25; seguir el hilo 415,19; morderse el labio 625,6; deshacerse en lágrimas 136,20; cargar la mano 163,9; hacer raya 58,24; echar tierra 555,19; dar voces en desierto 565,10; etc.

Con frecuencia Oña se vale de la enumeración para darle énfasis y viveza a determinados pasajes de su poema. La enumeración puede ser de sustantivos: «La grita, el alboroto, la presura, / la turbación, el pasmo, el desatino» (122,10); de adjetivos: «Gentiles, fuertes, bravos y galanes» (338,17); de verbos: «Desmiembra, descoyunta, despedaza, / cercena, corta, rompe y acrebilla» (383,15); y de nombres propios:

Bastida, Luis Cherinos, Hortigosa,
Valdivia, Pero Gómez, Castañeda,
Riberos, Lira, Cáceres, Cepeda,
Carranza, Payo, Córdoba, Espinosa,
Urbina, Diego Pérez, Hinojosa
Y el noble caballero de Pineda
Han muerto por sus manos tanta gente
Que sirve ya en la ciénega de puente. (AD, 406)

Común es también la repetición de una palabra al principio de los versos:

Pues por el bosque espeso y enredado
Ya sale el jabalí cerdoso y fiero,
Ya pasa el gamo tímido y ligero,
Ya corren la corcilla y el venado;
Ya se atraviesa el tigre varïado,
Ya penden sobre algún despeñadero
Las saltadoras cabras montesinas,
Con otras agradables salvajinas. (AD, 168)

Otras veces se repite una forma gramatical al fin de los versos:

Por la caliente sangre que *vertemos*,
Con que el sulcado rostro *rocïamos*,
Y por la que a vosotros *consagramos*,
Después que así espumosa la *bebemos;*
Y por la humana carne que *comemos*,
Humildes todos juntos *suplicamos*
Que en este copo cándido se envuelva
Quien, de lo que dudamos, nos absuelva. (AD, 89)

Y por último, la palabra repetida suele distribuirse en la estrofa sin otro requisito que el de hallarse en cada uno de los ocho versos:

Su *tiempo* tiene todo señalado,
Y pues que de llorar agora es *tiempo*,
Querello así gastar en *pasatiempo*,
¿No echáis de ver que es *tiempo* mal gastado?

Por Tucapel há *tiempo* he preguntado;
Si dél sabéis decir, decid con *tiempo,*
Primero que sin *tiempo* el ansia fuerte
Llegue mi vida al *tiempo* de la muerte. (AD, 259)

Otro medio de intensificación corriente en el estilo de Oña es el juego de palabras: «Privando del *sentir* a los *sentidos,* / suspenden, sin *descuido,* sus *cuidados*» (410,11); «¡Ay! cómo el más pequeño *pesar pesa* / más de lo que el mayor *placer aplace*» (284,20); «¿Así por *desplacerme* te *desplaces*? / ¿Así por *maltratarme* te *maltratas*?» (448,21); «Y así la negra noche vino lista, / dejando al hemisferio *triste* y *ciego,* / y *triste* y *ciego* al campo en ver la dama / que va más *triste* y *ciega* por quien ama» (254,15); «¡A tanta *perdición* y *daño* llega / el *daño* y *perdición* de un alma ciega!» (237,27); «Correspondiendo la *obra a su palabra,* / y su *palabra y obra* al pensamiento» (652,4).

Las comparaciones que más abundan en el *Arauco domado* son las que tienen como punto de referencia el reino animal:

Cual descuidada *cierva* que herida
Del insidioso y cauto ballestero,
Ya sigue aquel, ya deja este sendero,
Vagando por la selva entretejida;
O cual *oveja* triste y desvalida
Que sola va buscando su cordero:
Tal va moviendo a lástima Gualeva
Por donde el poderoso amor la lleva. (AD, 243).

Cuando Gualeva encuentra a Tucapel:

Cual *águila* caudal, que desde el cielo,
En viendo al ballenato dar en tierra,
Prestísima con él en punta cierra,
Dejando roto el aire con su vuelo,

> Y dando con las alas por el suelo
> Encima dél se arroja y dél se afierra:
> Tal, sobre el cuerpo echado en sangre roja,
> La bárbara frenética se arroja. (AD, 273)

Don García al ver que los araucanos se acercan al muro de Penco: «Está como el *azor* empigüelado / antes de haberle puesto el capirote, / que si pasar un ave se le antoja / mil veces de la alcándara se arroja» (183,8). Los magos empiezan a invocar a Eponamón «con un susurro bajo y escabroso, / como de negro *tábano* enfadoso / cuando revuela en torno de la cara» (87,7). Cadeguala en Biobío: «¿Qué *víbora*, qué *sierpe* ni *culebra* / se puede comparar al araucano?» (396,7). Andrea pelea con Rengo «cual suele combatir el *peje-espada* / en medio el ancho mar con la ballena» (403,36).

Numerosas son las comparaciones con el reino vegetal:

> No está la umbrosa *vid* tan abrazada
> Al *olmo* retorciéndose lasciva,
> Ni trepa por el viejo muro arriba
> La *yedra* tan revuelta ni enlazada;
> Ni a la pendiente peña levantada,
> Que casi sobre el agua se derriba,
> Se arrima tanto el *pulpo* pegajoso,
> Cuanto Quidora al pecho de su esposo. (AD, 489)

Rengo: «Un golpe descargó de tal manera / encima del dispuesto Curalongo, / que le dejó en el cieno como *hongo* / con la celada sola y cuello fuera» (401,30). Don Felipe de Mendoza: «Por asta lleva un mástil suficiente / a derribar de un golpe fuertes muros, / que silba en las orejas de un tordillo, / cimbrándole cual *vara de membrillo*» (322,7).

Lo son asimismo las que tienen por base los elementos: «No sale con tan raudo movimiento / el *agua* rebalsada y detenida / habiéndole soltado la represa, / como la ya levada nave inglesa» (673,10). Don Felipe de Mendoza a Talguén: «Y dándole tal golpe en la celada, / que, como el *viento* al ramo, le remesa» (231,1). Cuando Arana hacía gente en Ríobamba: «No menos acudió de Cuenca luego / una bizarra y fuerte compañía, / con que sumado el número hacía / trescientos hombres, todos como el *fuego*» (555,16).

Y los fenómenos naturales: «Un viejo que acusaron por aleve, / más blanco ya que el copo de la *nieve*» (573,10). Los españoles al lanzarse contra los indios en Biobío: «Abajan a un compás las astas gruesas / como una espesa *pluvia* y más espesas» (366,12). Varios capitanes en Penco: «Hacen de parte suya lo que el *rayo*, / cuando furioso Júpiter lo tira» (203,2).

Hay además comparaciones con las obras del hombre: «Aquel enorme y duro Galbarino, / más raudo y encendido que una *bala*» (378,8). Megera a Caupolicán: «Porque si aquí te estás como la *boya* / en amorosas aguas sobreaguado, / serás en las de Lete sepultado» (179,1). Pillalonco: «Un viejo descarnado formidable, / de cuerpo retorcido como un *cable*» (87,14).

Con los productos naturales: «El fido que somete al yugo el cuello / y va derechamente su carrera, / es justo se compare con la *cera*, / adonde imprime bien el rey su sello» (567,4). En las borracheras de los indios: «Y cuando más mojada, más sedienta, / como una *esponja*, queda la garganta» (74,6).

Finalmente, son muchas las comparaciones con la mitología. Guaticol: «Era robusto el indio y corpulento, / como un *jayán* en fuerza y estatura» (223,18). Arana: «Astuto más que el hijo de *Laertes*» (548,1). Gualeva frente a la leona: «El blanco pie no mueve temerosa, / cual hizo la de *Píramo* famosa, / según allá su fábula contiene» (426,27). Oña: «Es bien que a descansar me pare un tanto, / pues no es como el de *Sísifo* mi canto» (160,33).

En relación con las comparaciones, las metáforas que usa Oña son pocas. He aquí algunas de las que nos parecen de mayor interés: átomos dorados 163,26 por rayos del sol; argentadas trenzas 256,4 por rayos de la luna; techo celestial 416,19 por cielo; broches 457,5 por las estrellas; turbio velo 352,6 por noche; amargo señorío 349,3 por mar; celestes cataratas 115,9 por nubes; región sutil y pura 191,33 por el espacio; asiento de la vida 467,8 por corazón; velo delicado 487,8 por párpados; puerta bella 495,34 por boca; mal cuajadas perlas del oriente 248,10 por lágrimas; fresca sombra del estío 444,10 por un buen amigo; etc.

Otras metáforas: aljófar 166,3 por rocío; amarillo 595,11 por oro; columna 173,18 por cuerpo; cristal 169,1 por agua; campo cristalino 57,2 por mar; dorados 615,1 por pesos; golondrina 468,23 por inconstancia; gotas de rocío 608,15 por lágrimas; fresno 213,20 y leño 189,22 por maza; lumbreras celestiales 249,18 por ojos; luz 265,7 por amada; naufragio 441,19 por derrota; naval caballo 63,13 por navío; plomo 399,14 por bala; puerto 441,21 por refugio; urna 51,7 por lecho del río; yugo 178,13 por opresión; etc.

Como todos los poetas épicos, Oña se vale a menudo de la hipérbole para acentuar determinados pasajes. Diríamos que su estilo es marcadamente hiperbólico. Sus hipérboles se basan de ordinario en los elementos del mundo natural.

En Penco, por ejemplo, cuando don García descargó su espada sobre Rengo: «El mar del Sur, del Norte y de Lepanto, / el más pequeño *pez* y oculta *foca* / sintieron claro el són del golpe avieso» (214,19). En el combate de Biobío al encontrarse los soldados de Juan Ramón con los araucanos: «Trabóse luego fiera la batalla, / y comenzó a tremer el *monte* y *prado*» (367,14). La ferocidad del indio Cadeguala: «Quemar parece al *cielo* con miralle, / y helársele de miedo todo el *valle*» (396,9).

Cuando Fresia se desnuda y se lanza en el estanque de Elicura para bañarse: «Las mismas *aguas* frígidas enciende, / al ofuscado *bosque* pone espanto, / y *Febo* de propósito se para / para gozar mejor su vista rara» (173,4). Gualeva va por la selva en busca de Tucapel: «Pegando *fuego* al *aire* y a la *rama*, / en fe de los sospiros que derrama, / bastantes a encender el *agua* pura» (269,32). En Quito, los clamores y gemidos de «los niños y las madres enternecen, / moviendo los *peñascos* de su asiento» (572,17); etc.

La perífrasis es particularmente abundante en el *Arauco domado*, y Oña la emplea casi para todo: seco despoblado 113,24 por desierto; materia líquida 169,6 por agua; elemento cálido 139,9 por fuego; velo celestial 121,8 por cielo; el natural autor del año 327,22 por sol; aquella que confunde los colores 410,2 por noche; el pájaro sin lengua 512,28 por ruiseñor; materia salitrada 191,2 por pólvora; rayo artificial de plomo hecho 221,32 por bala; la imagen de la muerte 490,8 por el sueño; privar del alma 219,10 por matar; tesoro de las venas 216,15 por sangre; etc.

Muy numerosas son las perífrasis que se refieren a don García: el cauto joven 157,9; el recto joven 150,18; el mozo bello 58,22; el justo mozo tierno 150,24; el mancebo esclarecido 127,19; el próspero mancebo 155,3; el claro adolescente 100,13; el caudillo ilustre 150,10; el general cuidoso 148,4; el vigilante Apó 149,4; el nuevo Aquiles 57,7; el Hércules gallardo 182,27; el cesarino espíritu novelo 184,8; el señor de las venturas 291,21.

Designan a Dios: el Rey del cielo 133,8; el que habita las alturas 291,20; el Padre de las lumbres 414,12; el contador de las estrellas 657,17; etc. Al demonio: el Rey que siempre está en región escura 91,11; el flamíneo príncipe del centro 88,8; el regidor perpetuo del Cocito 83,16; el rector de los dañados 154,14; etc. Al infierno: el escuro reino del espanto 40,9; la cárcel tenebrosa 160,22; el batir eterno de los dientes 154,19; la casa del tormento 160,30; etc.

Hay gran variedad de perífrasis que aluden a la mitología: el que por Dafne rápido corría 98,14 por Apolo; el sórdido barquero 151,3 por Caronte; el Niño dios alado 170,5 por Cupido; la selvática doncella 60,4 por Diana; el primogénito de Anquises 61,11 por Eneas; el señor de la ínsula ventosa 127,6 por Eolo; la señora variable 43,24 por la Fortuna; aquel que viste planchas de diamante 42,15 por Marte; el gran señor del húmido tridente 64,16 por Neptuno; la madre de Cupido 53,5 por Venus; el Cojo 52,14 por Vulcano; etc. Con frecuencia las perífrasis abarcan dos o más versos: «La que dejó, embarcándose, por popa / la tierra de Fenicia, y pudo tanto, / que de su claro nombre sin segundo, / le tiene la mejor parte del mundo» 154,3 por Dido.

La expresión de las percepciones sensoriales representa un aspecto importante en el estilo de Oña. Las percepciones visuales son las más frecuentes, sobre todo las que se refieren a los colores.

Se destaca el blanco: «Su frente, cuello y mano son de *nieve*» 173,14; «Del cándido *alabastro* la *blancura*» 173,31; azucena 166,7; carámbano 158,20; diamante 42,15; escarcha 158,20; espuma 65,3; espumazón 126,12; harina 122,2; hueso 41,20; jazmín 166,7; plata 174,17; etc. «Encima de *argentados* morriones» 49,13; «Y al *blanco* amanecer se ven los prados» 114,30; albo 173,19; cano 51,6; espumoso 50,1; nevado 174,16; etc.

Común es también el rojo: «Su boca de *rubí*, graciosa y breve» 173,15; «Ven ya bordado el cielo de *arreboles*» 95,2; amapola 166,7; clavel 166,5; croco 166,14; rosa 166,4; púrpura 166,5; sangre 41,23; etc. «Tal vez del *rojo* sol se están burlando» 165,8; «A su canal *purpúrea* deleznable» 93,7; bermejo 76,12; encarnado 166,4; fulminoso 55,14; «La derramada sangre *enrojescía*» 41,23; etc.

El verde se destaca por la frecuencia con que se repite el adjetivo: «La *verde* superficie de la tierra» 41,21; «La *verde* cabellera de la cumbre» 58,32; verde campo 82,25; verde juncia 168,2; lauro verde 60,3; verde loma 147,18; verde llano 164,7; verde primavera 165,2; saya verde 131,3; verde yerba 169,13; «A la *verdosa* falda de una cuesta» 71,2; etc.

Hay algunos casos de amarillo: «La *amarillez* del rostro ya difunto» 122,11; «El vello de *oro* puro le apuntaba» 194,1; clicie 166,14; miel 166,13; etc. «El *amarillo* rostro como a Febo» 59,17; «Desde que el *rubio* sol con su venida» 74,21; áureo 90,3; dorado 180,10; pálido 175,16; sulfúreo 88,4; etc.

También los hay de azul: «La vista *garza*, el pecho relevado» 173,16; «Que en el *cerúleo* piélago se bañan» 64,26; azul 73,5; celeste 98,12; turquesado 166,6; etc.

Oña le da gran importancia a las percepciones auditivas. Las palabras que más usa para indicar sonidos son los sustantivos: «Con un terrible *trueno* y *estallido*» 92,23; «El áspero *alarido* se levanta» 74,7; bullicio 48,11; canto 54,11; golpe 78,21; graznido 78,15; grito 53,13; música 54,12; ruido 52,2; són 72,13; tropel 52,7; voz 94,18; etc.

Siguen en frecuencia los verbos: «Así se lamentaban y *plañían*» 79,28; «Haciendo que al rumor la tierra *gima*» 72,4; atronar 94,19; bramar 42,8; bravear 72,3; ensordescer 51,3; gritar 94,12; roncar 78,17; sonar 52,12; tronar 42,11; zumbar 74,10; etc. Los adjetivos son pocos: «El cano y turbio Rímac *resonante*» 51,6; «Y el aire de *parleras* aves lleno» 95,7; alharaquiento 74,8; disonante 51,9; ronco 72,13; sonoro 78,10; etc. Ronco aparece muchas veces: pecho ronco 87,16; ronco són 72,13; ronco tarantántara 49,21; ronca voz 51,8; etc.

Contribuyen a intensificar el carácter auditivo del estilo de Oña los instrumentos musicales, tanto de la milicia: «Salió de la ciudad el nuevo Aquiles / al són de claras *trompas* y *añafiles*» 57,8; atambor 60,25; caja 51,2; clarín 60,26; chirimía 643,7; flauta 60,25; pífaro 51,2; sacabuche 60,26; etc., como de la vida social: «Uno martilla el ronco *tamborino*, / otro por *flauta* el hueso humano toca» 71,15; calabazo 72,16; caramillo 475,7; cítara 133,3; dulzaina 118,4; rabel 118,4; zampoña 476,2; etc.

Las percepciones olfativas son raras. El único caso en que Oña menciona olores agradables es cuando trata de las flores del valle de Elicura, «del *suave olor* que están de sí lanzando» 166,11. Eponamón, espíritu infernal, desaparece de la presencia de los indios «dejando allí una bomba *pestilente*» 92,25.

Las percepciones gustativas se expresan sólo por medio de adjetivos: «Según al ojo está la muerte *amarga*» 125,26; «Mas, pasa al fin el golpe y trago *acedo*» 129,1; agro 171,14; delicioso 113,27; desabrida 143,2; malsabroso 144,27; salado 65,3; etc. La palabra más repetida es dulce: «Del falso Niño dios la *dulce* jara» 55,17; «Ya de la *dulce* patria despedidos» 61,35; dulce canto 152,4; dulce estanza 116,17; dulce libertad 178,18; dulce loto 117,27; dulce tierra 63,4; dulce vida 125,25; dulce voz 115,13; dulces ruiseñores 165,14; dulcísimos amores 170,8; etc.

Abundantes son, finalmente, las percepciones tactiles. Indican aspereza, por ejemplo: «Ni el ser *fragosa* y *áspera* la senda» 47,1; «Los *toscos* tajadores embarazan» 74,13; agudo 76,6; espina 162,11; filo 154,4; etc., y suavidad: «Por su *cristal bruñido* y transparente» 169,1; «En *lisas* piedras, largas y *redondas*» 78,22; suave 118,18; alisar 83,6; etc.

Manifiestan dureza: «El áncora hincó su *duro* diente» 138,3; «Saltaron en la *sólida* ribera» 138,13; durísimo

189,34; etc., y blandura: «El *blando* amor de Fresia, por quien muere» 159,2; «Su *tierno* y albo pie por la verdura» 173,19; blandamente 132,7; tiernamente 170,7; etc.

Dan la sensación de frío: «Un súbito pavor y *helado* asombro» 92,30; «Y en una tempestad escura y *fría*» 123,14; frescura 172,12; refresco 143,1; fresco 142,18; frígido 164,2; húmido 64,16; refrescar 64,10; etc., y de calor: «Nadando en puro *fuego* inextinguible» 179,5; «Y con el gran *calor* del mediodía» 163,24; llama 77,7; ardiente 56,9; cálido 50,7; caliente 89,2; caluroso 170,9; fogoso 142,16; arder 159,21; inflamar 59,8; etc.

X

CONCLUSION

Pedro de Oña escribió tres poemas mayores: *Arauco domado, El Ignacio de Cantabria* y *El Vasauro;* un poema menor: *Temblor de Lima año de 1609;* tres canciones reales y seis sonetos.

De la primera edición del *Arauco domado* hay dos impresiones, *A* y *F*. En *F* se observan variantes que indican correcciones estilísticas hechas por Oña. La segunda edición, *B*, reproduce el texto de *A*, pero con cambios y supresiones en que no intervino el autor de la obra. Las ediciones modernas, *G, R, M* y la traducción al inglés se basan directa o indirectamente en *B*. La mejor edición es *F*.

Oña presenta a don García, el héroe del poema, como un dechado de perfecciones físicas, morales e intelectuales; como el símbolo de la trilogía espiritual del español del siglo XVI: religioso, monárquico y caballeresco. El resto de los 169 personajes españoles, todos históricos, están allí para realzar la personalidad de don García.

En cuanto a los araucanos, Oña los considera desde dos puntos de vista: en su vida privada son borrachos, pendencieros, supersticiosos y sensuales; como guerreros, se distinguen por su fuerza y su valor. El sentimiento que los mueve es el patriótico. Las mujeres se destacan por su belleza, Fresia; y por su abnegación en el amor, Gualeva. Los 73 indios que se nombran en el poema son todos personajes literarios, inventados unos por Ercilla y los más por Oña.

Además de los datos orales y escritos que recibió de don García, Oña basó los hechos históricos del *Arauco domado* principalmente en *La Araucana*, la *Crónica* de Mariño de Lobera y la *Relación* de Balaguer de Salcedo. En general, Oña es fiel a sus fuentes. Los hechos literarios del poema se inspiran ante todo en la poesía bucólica, la novela pastoril, las *Metamorfosis* de Ovidio y *La Araucana*. Pero Oña no sigue a nadie en particular: selecciona su material de aquí y de allí, lo combina con el de su invención y compone episodios y escenas originales.

En cuanto al mundo natural, para Oña sólo tiene importancia lo que puede utilizar en sus figuras poéticas. Por esto los detalles que nos da sobre las cosas son pocos. Escasos son también los que se refieren a las costumbres de sus personajes. Y no podía ser de otra manera tratándose de un poema dedicado a cantar hechos de armas.

Respecto a las creencias populares, sobre todo las que tratan de demonios y apariciones, Oña nos ha dejado pasajes muy interesantes por su originalidad y dramatismo. Su fuente favorita es la *Eneida*. Oña imita a Virgilio no por falta de inventiva propia, sino porque la imitación de los clásicos era considerada en su tiempo como una cualidad esencial del buen poeta.

El lenguaje del *Arauco domado*, con la excepción de algunas formas arcaicas (fonéticas y morfológicas), corresponde al de los poetas españoles de la segunda mitad del siglo XVI. Cualidad notable de Oña es la soltura con que maneja el endecasílabo: pocos como él tienen tanto sentido del ritmo ni tanta fuerza en la expresión. Sus dotes de versificador se revelan además en el hecho de haber inventado un nuevo tipo de octava.

Digna de notarse es la riqueza del material lingüístico que contiene el *Arauco domado*. Su vocabulario abunda en palabras cultas, marinas, militares, ecuestres, arcaicas, mitológicas, indígenas, etc. Encierra además gran riqueza de locuciones adverbiales y frases hechas, enumeraciones, repetición y juego de palabras, comparaciones, metáforas, hipérboles, etc. En suma, Oña se vale de toda clase de recursos estilísticos para darle interés y amenidad a su poema.

BIBLIOGRAFIA

1. Obras de Pedro de Oña

Arauco domado

Primera edición

Primera parte / de Aravco / domado, / compvesto por el Licen- / ciado Pedro de Oña. Natural de los Infantes de / Engól en Chile. Collegial del Real Co- / legio mayor de Sant Felipe, y S. / Marcos, fundado en la Ciu- / dad de Lima. / (.?.) / Dirigido a don Hvrtado de Men- / doça, Primogenito de don Garcia Hurtado de Mendoça, Marques / de Cañete, Señor de las Villas de Argete, y su Partido. Visorrey / de los Reynos del Piru, Tierra Firme, y Chile. Y de la Mar- / quesa doña Teresa de Castro, y de la Cueua. / Hijo, Nieto, y Biznieto / de Virreyes. / (.?.) / Con previlegio, / Impresso en la Civdad de los / Reyes, por Antonio Ricardo de Turin. Primero / Impressor en estos Reynos. / Año de 1596. / (.?.) / Esta tassado a tres quartillos el pliego, / en papel. /

4.º Port., v. en bl.; prels., 11 folios sin foliar: Cédula de licencia y privilegio del Virrey del Perú, 11 de enero de 1596; Erratas; Aprobación del padre maestro Esteban de Avila, 10 de enero de 1596; Parecer del licenciado don Juan de Villela, 10 de enero de 1596; Retrato de Pedro de Oña; Soneto del doctor Inigo de Hormero; Canción del doctor Francisco de Figueroa; Canción de un Religioso grave; Canción de Diego de Ojeda; Soneto de don Pedro de Córdoba Guzmán; Soneto del doctor Gerónimo López Guarnido; Soneto de don Pedro Luis de Cabrera; Soneto de Cristóbal de Arriaga Alarcón; Soneto del licenciado Gaspar de Villarroel y Coruña; Dedicatoria a don Hurtado de Mendoza; Prólogo al lector. Texto, 343 folios (por errata, 335); Tabla, un folio sin foliar, v. en bl. Tres octavas en cada folio. (XIX cantos; 1.988 octavas; 15.904 versos). [HS].

Segunda edición

Aravco / domado. / Compvesto por el / Licenciado Pedro de Oña, natural de los / Infantes de Engol en Chile, Colegial del / Real Colegio Mayor de San Felipe, y / San Marcos, fundado en la Ciu- / dad de Lima. / Dirigido a don Hvrtado / de Mendoça, Primogenito de don Garcia Hur- / tado de Mendoça, Marques de / Cañete, etc. / Año [Escudo del Imperio] 1605. / Con privilegio, / En Madrid, por Iuan de la Cuesta. / [Debajo de una línea horizontal] / Vendese en casa de Francisco Lopez. /

8.º Port., v. en bl.; prels., 16 folios sin foliar: Erratas, Madrid, 6 de mayo de 1605; Tasa, Valladolid, 7 de julio de 1605; Suma del privilegio, [no indica el lugar] 19 de julio de 1599; Cédula de licencia y privilegio [es la misma de A]; Aprobación del padre maestro Esteban de Avila [es la misma de A]; Parecer del licenciado don Juan de Villela [es el mismo de A]; Dedicatoria a don Hurtado de Mendoza; Soneto de don Pedro de Córdoba Guzmán; Soneto del doctor Gerónimo López Guarnido; Soneto de don Pedro Luis de Cabrera; Soneto de Cristóbal de Arriaga Alarcón; Canción del doctor Francisco de Figueroa; Canción de un Religioso grave; Canción de Diego de Ojeda; Soneto del licenciado Gaspar de Villarroel y Coruña; [faltan: el retrato de Pedro de Oña, el soneto del doctor Inigo de Hormero y el prólogo al lector]. Texto, 342 folios; Tabla, dos folios sin foliar, v. en bl. Tres octavas en cada folio, excepto al principio y al fin de los cantos; [faltan: 20 octavas al fin del canto X]. [HS].

Tercera edición

Arauco domado, / compuesto / por el Licenciado Pedro de Oña,/ natural de los Infantes de Engol en Chile, colejial del / Real Colejio Mayor de San Felipe y San Marcos, fundado / en la ciudad de Lima./ Dirijido / A D. Hurtado de Mendoza, / primojénito de D. García Hurtado de Mendoza, Marqués / de Cañete, etc. / [Dos líneas paralelas] / Nueva edición, / Arreglada a la de Madrid del año 1605. / [Dos líneas paralelas] / Valparaíso / Imprenta Europea, calle de la Aduana. / Marzo 1849. / X+523 p.

8. Port., v. en bl.; Noticias del autor y del libro, p. III-VIII, firmado por J.M.G. [Juan María Gutiérrez]; Dedicatoria a don Hurtado de Mendoza, p. IX-X [por errata, III-IV]; Texto, p. 5-518; Tabla, p. 519-520; Notas del autor, p. 521-523; al fin del libro, tres p. en bl. Cuatro octavas en cada página. [J.M.G. elimina todo el material de los prels. de *B*, excepto la Dedicatoria]. [SD].

Cuarta edición

Primera parte / de / Arauco domado, / compuesto / por el Licenciado Pedro de Oña, / natural de los Infantes de Engol en Chile, colegial del Real Colegio Mayor de Sant Felipe y Sant Marcos, / fundado en la ciudad de Lima. / Dirigido / a don Hurtado de Mendoza, / primogénito de don García Hurtado de Mendoza, Marqués de Cañete, Señor de las Villas de Argete y su Partido, / Visorey de los Reinos del Pirú, Tierra Firme y Chile; / y de la Marquesa doña Teresa de Castro y de la Cueva; hijo, nieto y biznieto de Vireyes. /

4.º Port.; Dedicatoria y prólogo al lector, p. 351-352; Texto, p. 353-455, a dos columnas con diez octavas en cada columna; Tabla y Notas del autor, p. 456. [Omite todo el material de los prels. de la primera edición, excepto la Dedicatoria y el Prólogo al lector; restituye las veinte octavas del canto X, suprimidas en *B* y *G*]. *Publ.* en Biblioteca / de / Autores Españoles / desde la formación del lenguaje hasta nuestros días / Tomo vigésimonono / Poemas épicos / Colección dispuesta y revisada, con un prólogo y un catálogo / por don Cayetano Rosell / Tomo segundo / Madrid / Rivadeneyra / 1854. / p. 351-456. [SD].

Quinta edición

Arauco domado / de / Pedro de Oña / Edición crítica / de la / Academia Chilena / Correspondiente de la / Real Academia Española / Anotada por / J. T. Medina / [Sello que dice: Academia Chilena. Estudia y colabora] / Santiago de Chile / Imprenta Universitaria / MCMXVII / (Obras completas de Pedro de Oña, I, *Arauco domado*) [Colofón] En la Imprenta Universitaria, a seis del / mes de octubre de mil novecientos / diez y siete años acabóse de / imprimir este libro. / XII+718 p.

4.º Port., v. en bl.; retrato de Pedro de Oña, p. III, v. en bl.; El anotador al lector, p. V-XII; título completo de la primera edición, p. 1; prels. de la primera edición, p. 2-28, también completos; Texto, p. 29-683; Tabla, p. 685-688; Registro alfabético de personas, p. 689-701; Indice de las voces glosadas o que tienen algún comento, p. 703-712; Indice, p. 713-718. [SD].

Sexta edición

Arauco domado / por el Licenciado / Pedro de Oña / del Real Colegio Mayor / de San Felipe y San Marcos / obra impresa en Lima, por / Antonio Ricardo de Turín en 1596, / y ahora editada / en facsímil / [Escudo ovalado que representa un barco con la siguiente leyenda: Pluribus unum]. / Madrid / Ediciones cultura hispánica / 1944 / (Colección de incunables americanos / siglo XVI / volumen / XI / Licenciado Pedro de Oña / Arauco domado /) [Colofón] Este Arauco domado, por el Licenciado / Pedro de Oña, acabó de imprimirse en los talleres / de Gráficas Ultra, S. A., de Madrid, / calle de Alcalá, núm. 126, el día / once de Diciembre, víspera de la / festividad de Nuestra Señora / de Guadalupe, de mil / novecientos cua- / renta y cuatro. / Laus Deo. /

4.° Port.; [a la vuelta de la portada dice] Esta edición facsímil del Arauco domado / por el Licenciado Pedro de Oña, / consta de los siguientes ejemplares: / Ciento cincuenta, en papel / extra, sin numerar, dedicados / a mano; Tres mil, / numerados del 1 al / 3.000. En pa- / pel verju- / cado. / N.° 971. / Prels., 15 folios sin foliar; Texto, 343 folios [por errata, 335]; Tabla, un fol. sin foliar, v. en bl. [Reproduce el ejemplar de la primera edición que se halla en la BNM; no indica el nombre de la persona que tuvo a su cargo esta edición facsímil]. [SD].

Traducción al inglés

Arauco Tamed / by / The Licenciate Pedro de Oña / Translated into English verse by / Charles Maxwell Lancaster and / Paul Thomas Manchester / The University of New Mexico Press. 1948. / 282 p.

4.° Grabado [Galbarino en el momento que le cortan las manos]; Port.; Dedication; Preface; Table of contents [y sumario de los cantos]; Introduction; Dedication of the Author; Prologue [de Oña], p. 1-28; Text, a dos columnas, p. 29-282; De Oña's Table, en una página sin numerar. [Traducen el texto de la edición de Medina]. [SD].

Selecciones

En Marcelino Menéndez y Pelayo, *Antología de poetas hispanoamericanos*, Madrid, Tip. de la «Revista de Archivos», IV (1895), 5-29. Contiene 106 octavas de las 113 del canto V; omite las siete primeras. Esta misma selección se halla en Calixto Oyuela, *Antología poética hispanoamericana*, Buenos Aires, Angel Estrada y Cía., I (1919), 4-34. Hay una breve selección temática en Gerardo Seguel, *Pedro de Oña. Su vida y la conducta de su poesía*, Santiago de Chile, Ercilla, 1940, p. 59-76.

Selecciones en inglés

La de mayor extensión se halla en *Poet-lore*, Boston, XLIX (1943), 41-49. Contiene 33 octavas: las 21 del Exordio y las 12 del principio del canto primero. Las tradujo Charles Maxwell Lancaster.

Soneto de 1602

1.ª ed.: A la floren /tissima Vniver / sidad de los Reyes dedicada al glo / rioso Euangelista, S. Marcos que tiene por symbolo al Leon, / y acrecentada por el Leõ de España, nuestro muy catholico Rey / Philipo tercero. El menor hijo della Pedro de Oña. / *Publ.* en Consti / tvciones y / ordenanças / de la Vniversidad, y / Stvdio General de la / ciudad de los Reyes del Piru. / [Escudo de la Universidad de San Marcos] / Impresso en la Civdad de los / Reyes con licencia del Señor Visorey Don Luis / de Velasco, por Antonio Ricardo, / natural de Turin. / MDCII. / [Colofón] Impresso en la ciudad de los Reyes por Antonio / Ricardo natural de Turin. / Anno MDC.II./ [HS].

2.ª ed. En *Constituciones de la Universidad de San Marcos*, 1635. (Medina, *Historia*, III (1878), 132).

3.ª ed. En *Constituciones de la Universidad de Lima*, edición Alonso Eduardo de Salazar y Zevallos, Rector. Ciudad de los Reyes, Imp. Real, 1735, fol. 31 v. [NYP].

4.ª ed. En *El Museo*, periódico de Santiago de Chile, 1853, p. 232. (Medina, *Historia*, I (1878), 194, y III, 132).

5.ª ed. En Medina, *Historia*, I (1878), 194.

6.ª ed. En Enrique Matta Vial, *El licenciado Pedro de Oña*, Santiago de Chile, Imp. Universitaria, 1924, p. 95.

7.ª ed. En «Crónica bibliográfica» de *El Mercurio*, Santiago de Chile, 12 de mayo de 1924.

8.ª ed. En Gerardo Seguel, *Pedro de Oña. Su vida y la conducta de su poesía*, Santiago de Chile, Ercilla, 1940, p. 88.

Otro soneto de 1602

1.ª ed.: Soneto / del Licendo. Pedro / de Oña al avthor, entendido / por el nombre de Delio. / *Publ.* en los prels. de Primera parte / de la Misce / lanea Avstral / de Don Diego D'Avalos y / Figveroa, en varios co / loquios. Interlocutores, Delio y Cilena. / Con la Defensa de Damas. / Dirigida al Excellentissimo / Señor Don Luys de Velasco, Cauallero de la Orden de Santiago, / Visorey. y Capitan general de los Reynos del Piru, / Chile y Tierra firme / (.?.) / Con licencia de sv Excelencia / Impresso en Lima por Antonio Ricardo, Año / M.DC.II. / [HS].

2.ª ed. En Medina, *La imprenta en Lima* (1584-1824), Santiago de Chile, Casa del autor, I (1904), 61.

3.ª ed. En Enrique Matta Vial, *El licenciado Pedro de Oña*, Santiago de Chile, Imp. Universitaria, 1924, p. 95.

Soneto de 1603

1.ª ed.: Soneto / del Licen. Pedro / de Oña al avtor, por la / defensa de Damas. / *Publ.* en los prels. de Defensa de / Damas de Don / Diego D'Avalos y Figve- / roa, en octaua rima, diuidida en seis / cantos, donde se alega cõ me / morables historias. / Y donde florecen algvnas senten- / cias, refutando las que algunos Philosophos decretaron contra / las Mugeres, y prouando ser falsas, con casos / verdaderos, en diuersos tiẽpos succedidos. / Con licencia de sv Excelen. / Impresso en Lima por Antonio Ricardo / M.DCIII. / [Colofón] Impresso en Lima por Antonio Ricardo, / Año MDCIII. / [HS].

2.ª ed. En Medina, *La imprenta en Lima*, Santiago de Chile, I (1904), 83.

3.ª ed. En Matta Vial, *El licenciado Pedro de Oña*, Santiago de Chile, 1924, p. 96.

Soneto de 1607

1.ª ed.: Al avtor deste / tan vtil qvanto excelente trabajo. / El licenciado Pedro de Oña. / *Publ.* en los prels. del Libro de / plata redvzida / qve trata de leyes baias / desde 20. Marcos, hasta 120. Con sus Abe- / zedarios al margen. Con vna ta- / bla general a la postre. / Fecho por el contador Francis / co Iuan Garreguilla natural de la Ciudad de / Valencia en España. / Dirigido a los Señores Presidente / y Oidores de la Real Audiencia y Chanzilleria desta / Ciudad de los Reyes. / [Escudo de la ciudad de Lima] / Con licencia. / Impresso en Lima por Francisco del Canto / Año. MDC.VII. / [No hemos podido localizar esta obra en los Estados Unidos. La descripción citada es la que da Medina, *La imprenta en Lima*, I (1904), 100].

2.ª ed. En Medina, *La imprenta en Lima*, I (1904), 103.

3.ª ed. En Matta Vial, *El licenciado Pedro de Oña*, Santiago de Chile, 1924, p. 97.

Soneto de 1608

1.ª ed.: Soneto / del Licenciado / Pedro de Oña en nombre de la An- / tartica Academia, de la ciudad / de Lima, en el Piru. / *Publ.* en los prels. de la Primera parte / del Parnaso / antartico, / de obras / amatorias. / Con las. 21. Epistolas de Ovidio, i el in Ibin, en tercetos. / Dirigidas a dõ Iuan de Villela, Oydor en la Chãcilleria de los Reyes. / Por Diego Mexia, natural de la ciudad de Sevilla; i residente / en la de los Reyes, en los riquissimos Reinos del Piru. / Año [Grabado que representa el sol, dos montes; el Plus ultra y una fuente con la siguiente leyenda en círculo: «Si Marte llevo al ocaso las dos colunas; Apolo llevo al Antartico Polo, a las Musas i al Parnaso»] / 1608 / Con Privilegio; En Sevilla. / Por Alonso Rodriguez Gamarra. / [Colofón] Con Privilegio. / En Sevilla, / Por Alonso Rodriguez Gamarra. / [HS].

2.ª ed. En Medina, *Historia*, I (1878), 197.

3.ª ed. En Matta Vial, *El licenciado Pedro de Oña*, Santiago de Chile, 1924, p. 98.

Temblor de Lima

1.ª ed.: Temblor de / Lima año de 1609. / Governando el Marqves / de Montes Claros. Virrey Excellentissimo. / Y vna Cancion Real Panegyrica en la / venida de su Excellencia a / estos Reynos. / Dirigido a don Ioan de Mendo- / ça, y Luna Marqves de Castil de Bayuela su Primo- / genito succesor. / Por el Licenciado Pedro de Oña. / [Escudo] / Con licencia. / Por Francisco del Canto. 1609. / [Colofón] En Lima por Francisco del Canto. / Año de M.DC.IX. /

4.º Port., v. en bl.; dedicatoria y prólogo «Al lector», fols. 2r-3v; texto, fols. 4r-17v. 83 octavas de tipo normal; 664 endecasílabos; tres octavas en cada folio; único ejemplar conocido: JCB.

2.ª ed.: El / Temblor de Lima / de 1609 / por / El Licenciado Pedro de Oña / Edición facsimilar precedida de una noticia de / El Vasauro / poema inédito del mismo autor / Reimprímelo / J. T. Medina / Santiago de Chile / Imprenta Elzeviriana / 1909. / [Al fin de la «Noticia preliminar» dice] Se acabó de imprimir / el 21 de agosto de mil novecientos nueve / habiendo sido la tirada de / 250 ejemplares. / [Nótese que Medina altera el título: añade *El* y suprime *año*]. [SD].

Canción real de 1609

1.ª ed.: Al Excellentissi- / mo señor don Ivan de / Mendoça y Luna, Marques de Montes Cla- / ros. Virrey destos Reynos del Piru, / en su venida a ellos. Cancion / Real Panegyrica. / (.?.) / *Publ.* al fin del *Temblor de Lima año de 1609*, fols. 18r-23v. [171 versos]. [JCB].

2.ª ed. En Medina, ed. del *Temblor de Lima* . . ., Santiago de Chile, 1909, fols. 18r-23v.

Canción real de 1612

1.ª ed.: Al Excellentissimo señor / Don Iuan de Mendoça y Luna, Marques de / Montes Claros, Virrey del Piru. / Cancion real de El Licenciado / Pedro de Oña, por el assumpto deste libro, y su

Auctor. / *Publ.* en los prels. de Relacion de las exequias que el exmo. S. D. Iuan de mendoça / y Luna Marques de Montesclaros, Virrei del Piru hizo / en la muerte de la Reina Nuestra S. Doña / Margarita. / [Grabado que representa el túmulo real]. / Al Excmo. Señor don Iuan Hurtado de Mendoça y Luna, / Duque del Infantado del consejo de estado y gentil- / hombre de la camara de su magestad. / Por el Pressentado fray Martin de Leon, de la orden de / San Augustin / [Al pie de la portada, a la derecha] Lima anno / 1612 / [Al pie de la portada, a la izquierda] Fr. Franciscu, de bexarano / Augustiniensis scudebat / [Colofón] En Lima / Por Pedro de Marchan y / Calderon, Año de MDCXIII. [NYP].

Soneto de 1612

1.ª ed.: Al Presen- / tado Fray Martin de Leon. / Soneto / [de El Licenciado Pedro de Oña]. *Publ.* en los prels. de la *Relación de las exequias* ... por Fray Martin de León, Lima, 1612, que acabamos de citar. El soneto está a continuación de la mencionada Canción real de 1612. [NYP].

Canción real de 1630

1.ª ed.: Cancion Real / del Licenciado / Pedro de Oña, en qve se / recogen las excelencias del Santo, derramadas / por este docto libro. Introduze el Poeta al Rio / de Lima, hablando con el Tibre de Ro- / ma; para el intento de todo lo aqui / escrito. / Rio Lima, al Rio Tibre. / *Publ.* en los prels. de Vida, / virtudes y / milagros del nvevo / apostol del Pirv el venerable / P. F. Francisco Solano, de la Serafica / Orden de los Menores de la Regular Obseruancia, Patron / de la Ciudad de los Reyes, Cabeça, y Metropoli / de los Reynos del Piru. / Por el P. F. Diego de Cordova Predica- / dor, Natural de la misma Ciudad, indigno Religioso de la dicha Orden. Saca- / da de las declaraciones de quinientos testigos jurados ante los Ilustrissimos se- / ñores Arçobispos, y Obispos de Sevilla, Granada, Lima, Cordoua, y / Malaga, y de otras onze informaciones que se an hecho / en diferentes villas, y ciudades. / Dirigida a la C. R. M. de Don Felipe IV. / nuestro señor, Rey de las dos Españas, y ambas Indias. / [Escudo de Castilla y de León] / Con licencia; En Lima, por Geronymo de Contreras: Año de 1630. / [Colofón] Con licencia. / Impresso En Lima; Por / Geronymo de Contreras, Impressor de / libros, junto al Conuento de santo / Domingo; Año de 1630. / [426 versos]. [NYP].

2.ª ed. En la segunda ed. de la *Vida, virtudes y milagros*... del P. F. Francisco Solano... añadida por el Pe. Fray / Alonso de Mendieta de la misma Orden Califica- / dor del So. Offo. Comiso. Prouincial de la Sta. Prouincia / de los 12. Apostoles del Peru, y Procurador general de la ciudad de los Reyes en la / causa de la Canoniçación del / mismo sierbo d. Dios Solano. / Al Rey Nro. Señor / Felipe IV de / las dos Españas y ambas Indias. / Con licencia en Madrid en la Emprenta Real. Año 1643. / [Colofón] Con privilegio / En Madrid en la Imprenta Real. / Año de MDCXLIII. [Yale Univ.].

3.ª ed. En Medina, *Historia*, I (1878), 228-237. [Reimprime la segunda edición; contiene numerosos errores].

El Ignacio de Cantabria

El / Ignacio / de / Cantabria / 1.ª Pte. / Por el Licdo. / Pedro de Oña / Dirigido a la / Compañia de / IHS. / Con privilegio. / En Sevilla. Por Francisco de Lyra Año de MDCXXXIX. /

4.º Port., v. en bl.; prels., tres folios sin foliar: Aprobación de don Pedro Calderón de la Barca, Madrid, 30 de julio de 1636; Aprobación del doctor Juan Pérez de Montalbán, Madrid, enero [faltan: día y año]; Licencia del Vicario general de Madrid, Lic. Lorenço de Iturriçaga, Madrid, 9 de febrero de 1636; Privilegio por diez años dado ante Francisco Gómez de Lasprilla, Secretario de su Majestad, Madrid, 31 de agosto de 1636; Dedicatoria a la Compañía de Jesús; Texto del poema, 214 fols., v. del último, en bl.; tres octavas en cada folio; ilustraciones al principio de cada libro; adornos marginales en cada folio; 12 libros; 1.250 octavas de tipo normal; 10.000 endecasílabos. [HS].

El Vasauro

Edición de los dos primeros libros

«El Vasauro» de Pedro de Oña. Con anotaciones de Rodolfo Oroz, en *Anales de la Facultad de Filosofía y Educación, Sección de Filología*, Prensas de la Universidad de Chile, 1936, Tomo I. Cuadernos 2 y 3, 174-239.

[Contiene: I. Introducción: El Manuscrito [descripción]. II. Texto del Poema [libros I y II]. III. Comentario [al pie de la página]. [SD].

Primera edición completa

El Vasauro / poema heroico / de / Pedro de Oña / editado / por primera vez, según el manuscrito que se conserva / en el Museo Bibliográfico de la Biblioteca Nacional / de Santiago de Chile / con introducción y notas / por / Rodolfo Oroz / de la Universidad de

Chile / Prensas / de la / Universidad de Chile / Santiago / 1941 / [Colofón] Se terminó / de imprimir esta / obra el día 29 de abril / de 1941 en las Prensas de la / Universidad de Chile. Hízose una ti- / rada de seiscientos ejempla- / res, de los cuales dos- / cientos son nu- / merados. / Ejemplar número 186 /

4.º Port.; Retrato de Pedro de Oña; Introducción, p. XI-XCVIII; Texto del poema, p. 15-312; Notas gramaticales, p. 315-325; Indice de las voces comentadas, p. 327-329; Erratas, p. 331; Indice, p. 333-334; notas [al pie de la página. [SD].

2. Estudios

1. Amunátegui, Gregorio Víctor, «Artículo biográfico i bibliográfico sobre Pedro de Oña», en *Anales de la Universidad de Chile*, XXI (1862), 18-42. [Buen estudio].
   Reimpreso en el *Correo del Domingo*, Santiago de Chile, 1862, p. 76 y 88.
2. Arión, [Artículo sobre Pedro de Oña], en *El Ferrocarril*, Santiago de Chile, 23 de abril de 1857. (Medina, *Historia*, I (1878), 138). [Trata de un supuesto viaje de Oña a España].
3. Barros Arana, Diego, «Pedro de Oña: valor histórico de su *Arauco domado*», en *Historia general de Chile*, II (1884), 285-288. [Barros Arana dice que en el *Arauco domado* «apenas se halla uno que otro detalle [histórico] que no esté consignado en otra parte», p. 287].
4. Barros Arana, Diego, «El poeta Pedro de Oña y sus obras inéditas», en *Historia general de Chile*, V (1885), 418-423. [Se refiere especialmente al MS de *El Vasauro*].
5. Caillet-Bois, Julio, «Dos notas sobre Pedro de Oña», en *Revista de Filología Hispánica*, IV (1942), 269-274. [Estudia el origen de la octava del *Arauco domado*. No resuelve el problema].
6. Cruz, Pedro N. [Elías], «Arauco domado», en *Revista de Artes y Letras*, Santiago de Chile, VII (1886), 279, firmado con el pseudónimo de Elías. [Es una crítica satírica de dudoso valor].
   Reimpreso en *Pláticas literarias*, 1886-1889, Santiago de Chile, Imp. Cervantes, 1889, p. 37-60.
7. Chaparro, Vicente, «Juicio crítico sobre Pedro de Oña», en José Ignacio Víctor Eyzaguirre, *Historia eclesiástica, política y*

literaria de Chile, Valparaíso, Imp. del Comercio, I (1850), 472-481. [Aumenta con hechos imaginarios lo dicho por Gutiérrez]. V. núm. 12.

Hay traducción al francés de dicha *Historia*, por L. Poillón, Lille, France, 1855.

8. Eliz, Leonardo, «Pedro de Oña», en *Siluetas líricas y biográficas* sobre los más distinguidos poetas nacionales, desde Pedro de Oña hasta la presente época ... Santiago [de Chile], Imp. de la Unión, 1889, p. 7 y 15-19. [Nada nuevo].

9. «El Vasauro, poema inédito del poeta chileno Pedro de Oña», en *Anales de la Universidad de Chile*, LXX (1886), 412-414. [Noticia sobre el MS de *El Vasauro*].

10. Eyzaguirre, José Ignacio Víctor, «Pedro de Oña», en *Historia eclesiástica, política y literaria de Chile*, Valparaíso, Imp. del Comercio, I (1850), 471-472 y 480. [Breve información sobre la vida y la obra de Oña. Nada nuevo]. V. núm. 7.

11. García Díaz, Pablo, «El gongorismo en la poesía de Pedro de Oña», en *Asonante*, San Juan, Puerto Rico, III (1947), núm. 4, 66-75. [El título de este artículo no corresponde a su contenido: estudia sólo el *Arauco domado*. No demuestra que haya, como no la hay, influencia de Góngora en el primer poema de Oña].

12. Gutiérrez, Juan María, *El Arauco domado. Poema por Pedro de Oña* [folleto], Valparaíso, Imp. Europea, 1848. 19 p. [A pesar de su brevedad, es el mejor estudio de Oña publicado en el siglo XIX. Este trabajo «fué objeto de un plagio en el *Semanario Pintoresco Español* de 1851». (Menéndez y Pelayo, *Historia*, II (1913), 320]. V. núm. 25.

Reimpreso con el título de «Pedro de Oña, poeta épico de fines del siglo XVI y principios del siguiente», en *Estudios biográficos y críticos sobre algunos poetas sudamericanos anteriores al siglo XIX*, Buenos Aires, Imp. del Siglo, 1865, p. 269-292. [Explica Gutiérrez] «El presente estudio sobre el épico chileno, apareció impreso en Valparaíso en el año 1848 para que sirviera de prospecto al *Arauco domado*, poema de que dimos allí una edición», p. 269.

13. Gutiérrez, Juan María, «Noticias del autor y del libro», prólogo de su edición del *Arauco domado*, Valparaíso, Imp. Europea, 1849, p. III-VIII. [Breve resumen de la biografía de Oña y criterio de la nueva edición del poema].

14. Lara, Horacio, «El poeta araucano i sus obras», en *Crónica de la araucanía* (Leyenda heroica de tres siglos), Santiago de Chile, Imp. de «El Progreso», II (1889), 3-15. [Nada nuevo].

15. Latcham, Ricardo A., «La obra literaria de Pedro de Oña», en *Revista Católica*, Santiago de Chile, XLV (1923), 303 y 549. [Nada nuevo].

Reimpreso en *Escalpelo*. Ensayos críticos, Santiago [de Chile], Imp. de San José, 1925, p. 21-43.

16. Matta Vial, Enrique, *El licenciado Pedro de Oña*. Estudio biográfico crítico. Con un prólogo de J. T. Medina, Santiago de Chile, Imp. Universitaria, 1924. X+134 p. [A pesar de sus errores es el mejor estudio de conjunto sobre Oña].

Reimpreso en el *Boletín de la Academia Chilena*, Santiago de Chile, VI (1939), cuadernos XXIII y XXIV.

17. Medina, José Toribio, «Pedro de Oña», en *Historia de la literatura colonial de Chile*, Santiago de Chile, Imp. de la Librería del Mercurio, I (1878), 133-238. [Aparte de las referencias a documentos es un estudio de escaso valor].

18. Medina, José Toribio, «Pedro de Oña», en *Biblioteca hispanochilena* (1523-1817), Santiago de Chile, Casa del autor, I (1897), 42-79 y 402-405. [Contiene: descripción del *Arauco domado* y sumario de los cantos, p. 42-47; proceso de Oña con motivo de la publicación del *Arauco domado* en 1596, p. 47-74; vida y obras de Oña, p. 74-79, resumen de lo escrito en su *Historia* (V. núm. 17); y breve estudio de *El Ignacio de Cantabria*, p. 402-405].

19. Medina, José Toribio, «Noticia preliminar», en su ed. de Oña, *Temblor de Lima año de 1609*, Santiago de Chile, Imp. Elzeviriana, 1909, p. VII-LXXVII. [Contiene: estudio del *Temblor de Lima año de 1609*, p. VII-XVI; estudio de *El Vasauro*, p. XVI-LIX; resumen de la biografía de Oña, p. LX-LXXII; y texto del testamento de doña Isabel de Acurcio, madre de Pedro de Oña, p. LXXIII-LXXVII].

20. Medina, José Toribio, «Un libro raro» (Temblor de Lima [año] de 1609 de Pedro de Oña), en la revista *Selecta* de Santiago de Chile, septiembre de 1909, p. 171. [Es el mismo estudio publicado en la «*Noticia preliminar*» de su ed. del *Temblor de Lima*]. V. núm. 19.

Reimpreso en *Opúsculos varios de J. T. Medina*. Reunidos y editados por Juan Borchert, I, Santiago de Chile, Imp. El Globo, 1926, p. 27-31.

21. Medina, José Toribio, «El anotador al lector», en su ed. del *Arauco domado*, Santiago de Chile, Imp. Universitaria, 1917, p. V-XII. [Léase con reservas].

22. Medina, José Toribio, [Pedro de Oña], en «Imitadores de *La Araucana*», en su ed. de Alonso de Ercilla y Zúñiga, *La Araucana*, Santiago de Chile, Imp. Elzeviriana, V (1918), 483-486. [Comparación resumida de los puntos de contacto entre *La Araucana* y el *Arauco domado*].

23. Medina, José Toribio, «Prólogo», en Enrique Matta Vial, *El licenciado Pedro de Oña*, Santiago de Chile, Imp. Universitaria, 1924, p. V-X. [El prólogo es del 27 de noviembre de 1923].

24. Menéndez y Pelayo, Marcelino, [Pedro de Oña], en *Antología de poetas hispanoamericanos*, Madrid, Tip. de la «Revista de Archivos», IV (1895), p. XVII-XXIX. [Los datos biográficos se basan en Medina, *Historia*, I (1878), 133-141. V. núm. 17. El resto del estudio es una valoración ecuánime del *Arauco domado*].

Reimpreso en «Observaciones preliminares», en *Obras* de Lope de Vega, publicadas por la Real Academia Española, 6.ª ed., Madrid, Rivadeneyra, XII (1901), p. CLXXII-CLXXVII. [Al discutir el *Arauco domado* de Lope de Vega repite el citado estudio sobre Oña].

Reimpreso, además, en *Estudios sobre el teatro de Lope de Vega*, Madrid, Victoriano Suárez, VI (1927), 210-225.

25. Menéndez y Pelayo, Marcelino, [Pedro de Oña], en *Historia de la poesía hispanoamericana*, Madrid, Victoriano Suárez, II (1913), 309-324. [Es el mismo estudio, corregido y aumentado, que publicó en su *Antología de poetas hispanoamericanos* (V. núm. 24): añade el *Temblor de Lima año de 1609* y *El Vasauro*].

26. Morley, S. Griswold, «*Arauco Tamed*. By the Licenciate Pedro de Oña, translated into English verse by Charles Maxwell Lancaster and Paul Thomas Manchester, en *Hispanic Review*, XVII (1949), 77-79. [Reseña desfavorable de la traducción].

27. Neale-Silva, Eduardo, «Oña, Pedro de, *Arauco Tamed* (*Arauco domado*)». Translated into English verse by C. M. Lancaster and P. T. Manchester, en *Hispania*, XXXI (Nov., 1948), 498-506. [Coteja la traducción con el texto de la edición hecha por Medina. Buen trabajo].

28. Omer Emeth [pseudónimo de Emilio Vaïsse], «El licenciado Pedro de Oña, por Enrique Matta Vial», en «Crónica bibliográfica» de *El Mercurio*, Santiago de Chile, 12 de mayo de 1924. [Al comentar esta obra, Omer Emeth reproduce y analiza el soneto que Oña publicó en 1602 en las *Constituciones y ordenanzas de la Universidad de Lima*. Omer Emeth observa, basándose en dicho soneto, que en Oña se notan las mismas características de los poetas modernistas].

29. Oroz, Rodolfo, «Reminiscencias virgilianas en Pedro de Oña», en Revista «3», Lima, Perú, 1940, núm. 6, p. 5-11.
Reimpreso como notas al pie de la página en su «Discurso de incorporación en la Academia Chilena», en *Boletín de la Academia Chilena*, VII (1942), 244-250. V. núm. 32.

30. Oroz, Rodolfo, «Introducción», en su ed. de *El Vasauro* de Pedro de Oña, Santiago, Prensas de la Universidad de Chile, 1941, p. XI-XCVIII. [Buen estudio estilístico del poema]. V. núm. 32.

31. Oroz, Rodolfo, «Notas gramaticales», en su ed. de *El Vasauro*, 1941, p. 315-325. [Interesantes observaciones sobre el lenguaje del poema].

32. Oroz, Rodolfo, «El Vasauro de Pedro de Oña», en «Discurso de incorporación en la Academia Chilena pronunciado el 29 de Abril de 1941, por el Dr. Rodolfo Oroz», en *Boletín de la Academia Chilena*, Santiago de Chile, VII (1942), 229-254. [Es un resumen de la «Introducción» de *El Vasauro*]. V. núm. 30.

33. Petty, McKendree, *Some epic imitations of Ercilla's La Araucana*. An abstract of a Thesis [Ph. D., University of Illinois, 1930], Urbana, Illinois, 1932. 21 p. [En parte de su conclusión dice: «It is easy enough to say that Oña imitated Ercilla, but hard to lay hands on anything concret in the way of proof», p. 5. Esta misma observación se puede aplicar al resto de las fuentes literarias del *AD*].

34. Rosell, Cayetano, [Pedro de Oña], en «Prólogo», «Biblioteca de Autores Españoles», t. XXIX de la colección y II de los *Poemas épicos*, Madrid, Rivadeneyra, 1854, p. XVI. [Estudia brevemente el *Arauco domado* y da algunos datos biográficos y bibliográficos de Oña. Nada nuevo].

35. Sancha, Antonio de, [El *Arauco domado* de Oña], en «Prólogo del impresor sobre la vida de don Alonso de Ercilla y Zú-

ñiga», en *La Araucana*, Parte I, Madrid, Antonio de Sancha, 1776, p. XXIII-XXV. [Crítica superficial y negativa].

36. Sánchez, Luis Alberto, [Pedro de Oña], en *Los poetas de la colonia*, Ciudad de Lima [sin pie de imprenta], «Historia de la literatura peruana», I, 1921, p. 70-80. [Se basa en Medina y en Menéndez y Pelayo. Nada nuevo]. V. núms. 17 y 25.

    Hay 2.ª ed. corregida, Lima, Perú, Editorial PTCM, 1947, p. 75-84. [Sobre Oña repite el texto de 1921].

37. Seguel, Gerardo, *Pedro de Oña. Su vida y la conducta de su poesía*, Santiago de Chile, Ercilla, 1940, 89 p. [Sigue a Medina en cuanto a la vida de Oña. Nada nuevo]. V. núm. 17.

38. Seguel, Gerardo, «Pedro de Oña y Rodolfo Oroz», en *El Mercurio*, Santiago de Chile, 22 de febrero de 1942. [Artículo con motivo de la publicación de *El Vasauro*, 1941, ed. por Rodolfo Oroz. Nada nuevo].

39. Solar Correa, Eduardo, «El patriarca de la poesía chilena. Pedro de Oña», en *Atenea*, Concepción, Chile, VI (1929), núm. 56, p. 5-13, y núm. 57, p. 162-173. [En la parte biográfica sigue a Medina (V. núm. 17). Insiste, sin demostrarlo, que en el *Arauco domado* hay influencia de Góngora. Por lo demás es un buen estudio].

    Reimpreso con el título de «Pedro de Oña», en *Semblanzas literarias de la colonia*, Santiago de Chile, Nascimento, 1933, p. 49-98.

    Hay 2.ª ed. de esta obra: Santiago de Chile, Editorial difusión chilena, 1945, con prólogo de Alone. [Oña, p. 53-93].

40. Thayer Ojeda, Tomás, «Arauco domado de Pedro de Oña», en *Ensayo crítico sobre algunas obras históricas utilizables para el estudio de la conquista de Chile*, Santiago de Chile, Imp. Barcelona, 1917, p. 407-463. [Buen estudio. Llega a la conclusión de que el *Arauco domado* carece de valor para la historia de Chile].

    Reimpreso en *Anales de la Universidad de Chile*, CXLVI (1920), 601-655.

41. Valderrama, Adolfo, «Pedro de Oña», en *Bosquejo histórico de la poesía chilena*, Santiago, Imprenta Chilena, 1866, p. 18-19, breve referencia a Oña; 45-57, estudio del *Arauco domado* y de *El Ignacio de Cantabria*; 161-167, publica por primera vez los seis sonetos atribuídos a Oña y los seis de Sampayo; y 167-168, breve análisis de estos sonetos.

Reimpreso en *Obras escogidas en prosa de don Adolfo Valderrama*, «Biblioteca de Escritores de Chile», VIII, Santiago de Chile, Imp. Barcelona, 1912, [Oña] p. 103, 125-134, 215-220 y 220-221.

3. Otras obras citadas

Acurcio, Isabel de, «Testamento de 1605», publ. por Medina en la «Noticia preliminar» de su ed. del *Temblor de Lima año de 1609* por Pedro de Oña, Santiago de Chile, Imp. Elzeviriana, 1909, p. LXXIII-LXXVII.

Alonso, Dámaso, «Temas gongorinos», en *Revista de Filología Española*, XIV (1927), 329-346.

Alonso, Dámaso, *La lengua poética de Góngora*. (Parte primera), Madrid, S. Aguirre, 1935.

Antonio, Nicolás, *Bibliotheca hispana nova*, 2.ª ed., Madrid, 1783-1788. 2 vols.

Ariosto, Ludovico, *Orlando furioso*, Milano, Ulrico Hoepli, 1949.

Balaguer de Salcedo, Pedro, Relacion de lo / svcedido desde diez / y siete de mayo de mil y qvinientos / y nouenta y quatro años, . . . / hasta dos de Iulio . . . / *Publ.* en Un / incunable limeño / hasta ahora no descrito / Reimpreso a plana y renglón, con un prólogo / de / J. T. Medina / [Escudo] / Santiago de Chile / Imprenta Elzeviriana / MCMXVI. [SD].

Balbuena, Bernardo de, La Grandeza Mexicana / de / Bernardo de Balbuena. / Editada según las primitivas ediciones de 1604, con una intro- / ducción y notas sobre las obras de los autores citados por / Balbuena. / Por John Van Horne / The University of Illinois / 1930 /

Barros Arana, Diego, *Historia general de Chile*, Santiago de Chile, Imp. Cervantes, 1884-1902. 16 vols.

Barros Arana, Diego, *Orígenes de Chile*. Prólogo, selección y notas bibliográficas de Guillermo Feliú Cruz, Santiago de Chile, Nascimento, 1934. 2 vols.

Belmonte Bermúdez, Luis de, [Prólogo al] «Lector», en *Algunas hazañas de las muchas de don García Hurtado de Mendoza, Marqués de Cañete*, «Biblioteca de Autores Españoles», XX, Madrid, Rivadeneyra, 1866.

Belmonte Bermúdez, Luis de, La Aurora / de Cristo / por Luis de Belmonte / Bermudez. / A don Iuan del Castillo / del Consejo del Rey nuestro Señor y / su oidor en la Real Audiencia / de Sevilla. / En Sevilla / por Francisco de Lyra. / Año / 1616 / Impresso con licencia y privilegio. /

Belmonte Bermúdez, Luis de, La Hispálica / por / Luis de Belmonte Bermúdez / Publícala por vez primera, / precedida de un estudio biográfico-crítico, / don Santiago Montoto / ... Sevilla / Imp. y Lib. de Sobrino de Izquierdo / [1921].

Bermúdez y Alfaro, Juan, «Prólogo», en *La Hispálica* por Luis de Belmonte Bermúdez ... [V. ed. Santiago Montoto que acabamos de citar].

Briseño, Ramón, *Estadística bibliográfica de la literatura chilena*, Santiago de Chile, Imp. Chilena, 1862-1879. 2 vols.

Carvajal y Robles, Rodrigo de, Poema / heroyco del / assalto y conqvista / de Antequera. / A la Magestad Cato- / lica del Rey Nuestro Señor Don / Felipe Quarto de las / Españas. Por Don Rodrigo / de Caruajal y Robles, natural de / la ciudad de Antequere [sic]. / Con licencia. / Año de 1627. / [Colofón] Con licencia, impresso en Lima. [Tomado del facsímil publicado por Medina, *La imprenta en Lima*, I (1904), 259].

Casas, Bartolomé de las, *Apologética historia de las Indias*, ed. M. Serrano y Sanz, «Historiadores de Indias», I, Madrid, Bailly-Bailliére, 1909.

Castellanos, Juan de, Primera parte, / de las Elegías / de varones illvstres de Indias. / Compuestas por Iuan de Castellanos Clerigo, Benefi-/ ciado de la Ciudad de Tunja en el nueuo / Reyno de Granada / [Escudo real] / Con privilegio. / En Madrid, / En casa de la viuda de Alonso Gomez Impressor de / su Magestad. Año 1589. / [HS].

Cobo, Bernabé, *Historia de la fundación de Lima* [MS, 1639], «Colección de historiadores del Perú», I. Obras inéditas, o rarísimas e importantes sobre la Historia del Perú antes y después de la Conquista. Publicadas con introducción, biografías y notas por M. González de la Rosa, Lima, Imp. Liberal, 1882.

Córdoba y Figueroa, Pedro de, *Historia de Chile* (1492-1717), «Colección de historiadores de Chile», II, Santiago, Imp. del Ferrocarril, 1862.

Cuervo, Rufino José, *Apuntaciones críticas sobre el lenguaje bogotano*, 5.ª ed. París, 1907.

Cuervo, Rufino José, «Disquisiciones sobre antigua ortografía y pronunciación castellanas», en *Revue Hispanique*, II (1895), 1-69.

«Discurso en loor de la Poesía» por una señora principal del reino del Perú, en Diego Mexía, *Primera parte del Parnaso antártico de obras amatorias*, Sevilla, Alonso Rodríguez Gamarra, 1608. [HS].

Eguiguren, Luis Antonio, «El fundador de la imprenta en Lima», en *Las calles de Lima*. Miscelánea ... por Multatuli [pseudónimo de Luis Antonio Eguiguren], Lima, Perú, [no indica imprenta], 1945, p. 333-364.

Ercilla y Zúñiga, Alonso de, *La Araucana*, ed. del Centenario, ilustrada con grabados, documentos, notas históricas y bibliográficas y una biografía del autor. La publica José Toribio Medina, Santiago de Chile, Imp. Elzeviriana, 1910-1918. 5 vols. [*La Araucana* consta de tres partes; 37 cantos; 2.645 octavas; 21.160 endecasílabos]. [SD].

Ercilla y Zúñiga, Alonso de, The Araucaniad. / A version in English poetry / of Alonso de Ercilla y Zúñiga's / La Araucana. / Charles Maxwell Lancaster / Paul Thomas Manchester. / Published for Scarritt College, Peabody College and Vanderbilt University. / Vanderbilt University Press, Nashville, Tennessee, 1945. / 326 p. a dos columnas.

Errázuriz, Crescente, *Don García de Mendoza* (1557-1561), Santiago de Chile, Imp. Universitaria, 1914.

Espinoza, Enrique, *Geografía descriptiva de la República de Chile*. Arreglada según las últimas divisiones administrativas, las más recientes exploraciones y en conformidad al Censo General de la República levantado el 28 de noviembre de 1895. 4.ª ed. Considerablemente aumentada. Santiago de Chile, Imp. y Encuadernación Barcelona, 1897.

Fuenzalida, Alejandro, *Historia del desarrollo intelectual en Chile* (1541-1810), Santiago de Chile, Imp. Universitaria, 1903.

Gallardo, Bartolomé José, *Ensayo de una biblioteca española de libros raros y curiosos*, Madrid, Rivadeneyra, 1863-1889. 4 vols.

Gil Polo, Gaspar, *La Diana enamorada* (1564), cinco libros que prosiguen los VII de Jorge de Montemayor, ed. Menéndez y Pelayo, en *Orígenes de la novela*, Bailly-Bailliére, 1931, II, 408-481.

Góngora Marmolejo, Alonso de, *Historia de Chile desde su descubrimiento hasta el año de 1575* [MS, 1575], compuesta por el capitán Alonso de Góngora Marmolejo, «Colección de historiadores de Chile», II, Santiago, Imp. del Ferrocarril, 1862.

González Suárez, Federico, *Historia general de la República del Ecuador*, Quito, Imp. del Clero, 1890-1903. 7 vols.

Herrera, Juan de, «Sentencia que pronunció el licenciado Juan de Herrera, juez de residencia, contra don García de Mendoza», 10 de febrero de 1562, en Medina, *Colección*, XXVIII, 416-443.

Historia del Abencerraje y de la hermosa Jarifa, ed. Menéndez y Pelayo, en *Orígenes de la novela*, Madrid, Bailly-Bailliére, 1931, II, 370-380.

Hojeda, Diego de, La Chistiada / del Pa / dre Maestro / Frai Diego de Hojeda: / Regente de los Estudios de Predicadores / de Lima. Que trata de la vida i muerte / de Cristo nuestro Salvador. / Dedicada al Ecelentis / simo Señor don Iuan de Mendoça / i Luna, Marques de Montes / Claros, i Virrei del Peru. / Año [Grabado en madera que representa la Crucificación] / 1611. / Con privilegio. / Impresso En Sevilla, por Diego Perez. / [Colofón] Impresso En / Sevilla, En la Imprenta de Diego / Perez en la Calle de Catalanes. / Año de 1611. / 4.° [HS].

Knapp, William I., «Prólogo», en *Obras poéticas* de D. Diego Hurtado de Mendoza, Madrid, Imp. de Miguel Ginesta, 1877.

Lizárraga, Reginaldo, *Descripción breve de toda la tierra del Perú, Tucumán, Río de la Plata y Chile* [MS, ca. 1605], ed. M. Serrano y Sanz, «Historiadores de Indias», II, Madrid, Bailly-Bailliére, 1909, p. 485-660.

López de Velasco, Juan, *Geografía y descripción universal de las Indias*. Recopilada por el cosmógrafo cronista Juan López de Velasco, desde el año de 1571 al de 1574. Publ. por primera vez en el *Boletín de la Sociedad Geográfica de Madrid*, con adiciones e ilustraciones, por don Justo Zaragoza, Madrid, Establecimiento Tipográfico de Fortanet, 1894.

Reimpreso en Medina, ed., «Colección de historiadores de Chile», XXVII, Santiago de Chile, Imp. Elzeviriana, 1901, p. 295-328. [Comprende sólo lo que se refiere a Chile].

Mariño de Lobera, Pedro, *Crónica del reino de Chile* escrita por el capitán Pedro Mariño de Lobera. Dirigida al Excmo. señor don García Hurtado de Mendoza, Marqués de Cañete, vice-rei y capitán general de los Reinos del Perú y Chile [MS, ca. 1594]. Reducida a nuevo método y estilo por el padre Bartolomé de Escobar, de la Compañía de Jesús, «Colección de historiadores de Chile», VI, Santiago, Imp. del Ferrocarril, 1865.

Medina, José Toribio, *Biblioteca hispano-americana* (1493-1810), Santiago de Chile, Casa del autor, 1898-1907. 7 vols.

Medina, José Toribio, *Biblioteca hispano-chilena* (1523-1817), Santiago de Chile, Casa del autor, 1897-1899. 3 vols.

Medina, José Toribio, *Colección de documentos inéditos para la historia de Chile, desde el viaje de Magallanes hasta la batalla de Maipo*, 1518-1818. Colectados y publicados por J. T. Medina, Santiago de Chile, [varias imprentas], 1888-1902. 30 vols.

Medina, José Toribio, *Diccionario biográfico colonial de Chile*, Santiago de Chile, Imp. Elzeviriana, 1906.

Medina, José Toribio, *La imprenta en Lima* (1584-1824), Santiago de Chile, Casa del autor, 1904-1907. 4 vols.

Mendoza, Andrés Hurtado de, «Carta del Virrey del Perú don Andrés Hurtado de Mendoza a S. M.», Lima, 15 de septiembre de 1556, en Miguel Luis Amunátegui, *La cuestión de límites entre Chile i la República Arjentina*, Santiago, Imp. Nacional, I (1879), 342-343.

Mendoza, Diego de, Obras / del Insigne / Cavallero Don / Diego de Mendoza, Embaxa- / dor del Emperador Carlos / Qvinto en Roma. / Recopiladas por Frey Ivan / Diaz Hidalgo, del Habito de San Iuan, Capellan, y Mu- / sico de Camara de su Magestad. / Dirigidas a Don Inigo Lopez / de Mendoza, Marques de Mondejar, Conde de Tendilla, / Señor de la Prouincia de Almoguera. / Año [Escudo del Mecenas] / 1610 / Con Priuilegios de Castilla, y Portugal. / En Madrid, Por Iuan de la Cuesta. / Vendese en casa de Francisco de Robles, librero del / Rey nuestro Señor. / [Colofón] En Madrid, / Por Iuan de la / Cuesta, / Año de 1610. / [HS].

Mendoza, García Hurtado de, «Probanza de los méritos y servicios de don García de Mendoza y Manrique», Lima, 7 de mayo de 1561, en Medina, *Colección*, XXVII (1901), 6-260.

Mendoza, García Hurtado de, «Relación que envía don García Hurtado de Mendoza, gobernador de Chile, desde la ciudad de Cañete de la Frontera, que nuevamente se ha poblado en Arauco», 24 de enero de 1558, en Medina, *Colección*, XXVIII (1901), 144-149.

Mendoza, García Hurtado de, «Relación enviada por don García de Mendoza de lo que hizo para recuperar la provincia de Chile», 1559 [sin lugar ni mes], en Medina, *Colección*, XXVIII (1901), 307-311.

Menéndez Pidal, Ramón, *Manual de grámática histórica española*, 8.ª ed., Madrid, Espasa-Calpe, 1949.

Menéndez y Pelayo, Marcelino, *Orígenes de la novela*, Madrid, Bailly-Bailliére, 1931.

Montemayor, Jorge de, *Los siete libros de la Diana*, ed. Menéndez y Pelayo, en *Orígenes de la novela*, Madrid, Bailly-Bailliére, 1931, II, 305-407.

Navarro, Tomás, *Manual de pronunciación española*, 4.ª ed., corregida y aumentada, Madrid, 1932.

Navarro, Tomás, *Estudios de fonología española*, Syracuse, Syracuse University Press, 1946.

Ovid, *Metamorphoses*, with an English translation by F. J. Miller, «The Loeb Classical Library», London, Heinemann, 1936.

Palau y Dulcet, Antonio, *Manual del librero hispano-americano*, Barcelona, Imp. Viader, 1923-1927. 7 vols.

«Primer libro de actas del cabildo de Santiago, llamado generalmente *Libro becerro*», 1541-1557, en «Colección de historiadores de Chile», I, Santiago, Imp. del Ferrocarril, 1861, p. 65-604.

«Proceso de Pedro de Oña con motivo de la publicación del *Arauco domado*», Lima, 1596, en Medina, *Biblioteca hispano-chilena* (1523-1817), Santiago de Chile, Casa del autor, I (1897), 47-74.

Riva Agüero, José de la, ed., «Descripción anónima del Perú y de Lima a principios del siglo XVII, compuesta por un judío portugués... Publ. en *Congreso de historia y geografía hispanoamericanas. Actas y Memorias*, Madrid, Jaime Ratés, 1914, p. 347-384.

Riva Agüero, José de la, «Diego Mexía de Fernangil», en *Congreso de historia y geografía hispanoamericanas. Actas y memorias*, Madrid, Jaime Ratés, 1914, p. 385-427.

Roa y Urzúa, Luis de, *El reyno de Chile* (1535-1810). Estudio histórico, genealógico y biográfico, Valladolid, Talleres Tip. «Cuesta», 1945.

Sánchez, Francisco, «Prólogo al lector», en Obras / del excelen- / te Poeta Garci Lasso / de la Vega. / Con Anotaciones y enmiendas del / Licenciado Francisco Sanchez / Cathedratico de Rhetorica / en Salamanca. / Dirigidas al muy illustre señor Licẽciado / Don Diego Lopez de Çuñiga y Soto / mayor. / Con Priuilegio. / En Salamanca, / Por Pedro Lasso / 1574. / [Colofón] En Salamanca. / En casa de Pedro Lasso. / 1574. / [HS].

Santillán, Fernando de, «Relación de lo que el licenciado Fernando de Santillán, oidor de la Audiencia de Lima, proveyó para el buen gobierno, pacificación y defensa del reino de Chile», Valparaíso, 4 de junio de 1559, en Medina, *Colección*, XXVIII (1901), 284-302.

Sannazaro, Jacopo, *Arcadia* (1504), ed. Enrico Carrara, «Collezioni di classici italiani», Torino, Tip. Sociale Torinese, 1944.

Solórzano Pereira, Juan de, *Política indina*, 3.ª ed., ilustrada por Francisco Ramiro de Valenzuela, Madrid, Matheo Sacristán, vol. I, 1736; y Gabriel Ramírez, vol. II, 1739.

Suárez de Figueroa, Cristóbal, *Hechos de don García Hurtado de Mendoza*, cuarto Marqués de Cañete, «Colección de historiadores de Chile», V, Santiago, Imp. del Ferrocarril, 1864.

Tasso, Torquato, *Gerusalemme liberata*, «Scrittori d'Italia, vol. 130, Bari, Gius. Laterza e Figli, 1930.

«Testimonio de los cargos que se hicieron a don García de Mendoza, gobernador de Chile, en la residencia que le tomó el licenciado Juan de Herrera», en Medina, *Colección*, XXVIII (1901), 377-416.

Thayer Ojeda, Tomás, *Las antiguas ciudades de Chile.* Apuntes históricos sobre su desarrollo i listas de los funcionarios que actuaron en ellas hasta el año 1565, Santiago de Chile, Imp. Cervantes, 1911.

Thayer Ojeda, Tomás, *Los conquistadores de Chile*, Santiago de Chile, Imp. Cervantes, 1908-1913. 3 vols.

Torres Saldamando, Enrique, *Los antiguos jesuítas del Perú.* Biografías y apuntes para su historia, Lima, Imp. del Universo, 1885.

Vega, Garcilaso de la, *Obras*, 3.ª ed., corregida. Edición y notas de T. Navarro Tomás, «Clásicos castellanos», 3, Madrid, Espasa-Calpe, 1935.

Vega Carpio, Félix Lope de, Lavrel / de Apolo, / con otras rimas. / Al Excelmo. Señor Don/Ivan Alfonso Enriqvez / de Cabrera,/

Almirante de Castilla. / Por Lope Felix de / Vega Carpio, del Abito de / San Iuan. / Año [Dentro de un rectángulo: Summa felicitas / inuidere nemini] 1630. / Con privilegio. / En Madrid, Por Iuan Gonçalez. / [Colofón] En Madrid. / Por Iuan Gonçalez, Año / 1630. / [HS].

Vicuña Cifuentes, Julio, *Mitos y supersticiones*. Estudios de folk-lore chileno recogidos de la tradición oral. Con referencias comparativas a los otros países latinos. 3.ª ed., revisada y aumentada por el autor, Santiago de Chile, Nascimento, 1947.

Virgil, *Aeneid*, with an English translation by H. R. Fairclough, «The Loeb Classical Library», London, Heinemann, 1938.

Williamson, James A., «Introduction», en *The Observations of Sir Richard Hawkins*. Edited from the Text of 1622 with Introduction, Notes and Appendices by James A. Williamson... Illustrated with four Maps. London, The Argonaut Press, 1933.

INDICE DE PERSONAS

ESTE *Estudio del «Arauco domado» de Pedro de Oña*
POR EL DR. SALVADOR DINAMARCA, NATURAL DE LA
CIUDAD DE LOS ÁNGELES EN LA REPÚBLICA DE
CHILE Y RESIDENTE EN LOS ESTADOS UNIDOS DE
AMÉRICA, FUÉ IMPRESO EN LA IMPRENTA UNI-
VERSITARIA DE SANTIAGO DE CHILE PARA
LAS EDICIONES DEL HISPANIC INSTITUTE
IN THE UNITED STATES, COLUMBIA
UNIVERSITY, 435 WEST 117TH STREET,
NEW YORK 27, N. Y. SE ACABÓ DE
IMPRIMIR EL 15 DE ENERO DE
1952 Y SE TIRARON 600
EJEMPLARES.